W9-CCY-922

© Editions Desvigne - 30, rue des Favorites - 75015 Paris
- 53-54, quai Pierre Scize - Lyon cedex 5

Toute reproduction, même partielle, de cet ouvrage est interdite. Une copie ou reproduction par quelque procédé que ce soit, photographie, photocopie, microfilm, bande magnétique, disque ou autre, constitue une contrefaçon passible des peines prévues par la loi du 11 mars 1957 sur la protection des droits d'auteur.

AU CŒUR DE L'ART ROMAN
CLUNY ET SA RÉGION

IM HERZEN DER ROMANISCHEN KUNST
IM BANNKREIS VON CLUNY

THE HEART OF ROMANESQUE ART
CLUNY AND ITS SURROUNDINGS

TEXTE DE CLAUS HAVERKAMP
DEUTSCH VON CLAUS HAVERKAMP
ENGLISH BY CREST
PHOTOS Claus Haverkamp
        Raymond Dauvergne
        Jean-Pierre Large

L'auteur tient tout spécialement à remercier la Fédération des Oeuvres Laïques de Saône-et-Loire, qui depuis plusieurs années organise chaque été un stage ''A LA DÉCOUVERTE DE LA CIVILISATION ROMANE'' ainsi que le président du Syndicat d'Initiative de Saint-Gengoux-le-National et de sa Région, Pierre BOUILLAULT.
Sans leur enthousiasme ce livre n'aurait jamais existé.

AU CŒUR DE L'ART ROMAN, CLUNY ET SA RÉGION

« Il flotte sur les lieux que Cluny a marqué de son timbre une brume de regrets, comme si des mains invisibles, dans la brume du printemps ou les chaleurs bourdonnantes de juillet, venaient quêter ici l'onde et le parfum des grandes heures révolues... »

Raymond OURSEL

Après son passage à Cluny, en octobre 1854, l'archéologue de GUILHERMY, a écrit : *« Le nom seul de Cluny semble la plus haute expression de la puissance et de l'architecture monastiques au Moyen Age. Aujourd'hui même, après tant de ruines accumulées, un pélerinage à Cluny est une des excursions les plus intéressantes qu'il soit possible d'entreprendre ».*

A regarder les centaines de cars de touristes, les milliers de voitures, amenant des curieux et des visiteurs du monde entier chaque année à Cluny, celui-ci ne semble rien avoir perdu de son attrait. Son nom évoque ''quelque chose'', l'art roman est en vogue, et Cluny fait alors partie de ces sites, qu'il faut avoir vu...

Mais citons un autre auteur du siècle dernier :
« Cluny m'a été une surprise et une déception ; de la splendeur de l'ancien temps quelques pierres à peine restent debout... Il faut venir muni de renseignements précis afin de pouvoir s'orienter sur ce sol étonnamment déblayé. »

W. Morton FULLERTON *"Terres Françaises"*

Pour le touriste moderne, l'effet a à peine changé, multiples sont les déceptions après une visite des restes de ce qui fut la plus grande église de la chrétienté, de cette congrégation, dont un de mes amis d'enfance disait : *« Pour moi, Cluny a laissé plus de traces dans l'histoire de l'église que la réforme de Luther... ».*

Ce livre n'a en rien l'intention de donner ces ''renseignements précis'' dont parle Fullerton. Les livres se comptent par dizaines, qui le font mille fois mieux. Il poursuit par contre deux buts :

— inciter le visiteur de passage, attiré par la gloire de Cluny, à ne pas limiter sa visite à Cluny seul, mais à prendre le temps de se promener dans les environs, à ''se perdre'' sur les petites routes de ce pays, qui est un des plus beaux de France.
— proposer un souvenir agréable de son passage, qu'il se fera un plaisir de feuilleter, une fois rentré chez lui, et qui ne lui donnera qu'une seule envie, celle de revenir un jour.

En effet, la région autour de Cluny est une des plus belles, mais aussi des plus riches régions d'Europe, avec ses 250 églises romanes, autant de châteaux et manoirs, ses villages et maisons, sans oublier ses richesses historiques, littéraires et évidemment gastronomiques. Ce pays, il ne faut pas le raconter, le comparer - il est incomparable - il faut le fréquenter. Ce pays est un de ces coins de la terre où, secrètement, on brûle de se transplanter pour y vivre, comme on rêve d'avoir toujours à discrétion ses vins...

Nous avons volontiers renoncé à faire figurer une carte dans ces pages. Les quelques exemples cités ne sont en effet que des exemples, mais qui n'ont rien d'exemplaire ! Chacune des 250 églises romanes, chacun des villages, bourgs et hameaux ''vaut le déplacement...''

Y a-t-il une explication à cette extraordinaire richesse ?

Il faut la chercher dans ce que Charles OURSEL disait à propos de toute la Bourgogne, dans son remarquable ''Art de Bourgogne'' : *« Pénétrée de toutes parts et ouverte à toutes les influences... la Bourgogne a beaucoup reçu, retenu, adapté et fait sien ».*

Ces lignes semblent avoir été écrites pour le pays autour de Cluny. C'est en effet ici que se trouve la limite entre le nord et le sud de la France, que passent ces lignes idéales, qui marquent les limites des deux civilisations, la nordique et la méditerranéenne, la limite entre le droit coutumier et oral, imposé par les traditions germaniques, et le droit écrit romain, la limite entre la langue d'oïl et la langue d'oc, la limite architecturale, toujours visible : au nord les toits aigus couverts de tuiles plates, au sud les maisons aux toits à faible pente et coiffés de tuiles creuses.

Ouverte à tous et à toutes les influences, cette région l'est tout comme les hommes et les femmes qui l'ont faite ou qui l'habitent de nos jours. Et c'est justement ce qui les rend si attachants et agréables. Et c'est certainement aussi une des raisons qui ont fait de CLUNY une des merveilles du monde. Car, en Cluny tout l'art chrétien s'est rencontré.

CLUNY : ROMA SECUNDA VOCOR

« Cluny doit son essor et sa position exceptionnelle à trois circonstances : d'abord sa situation dans un ''espace vide de pouvoir'' (Walasch), dans une région qui n'appartenait pas à l'empire, ni ne dépendait de la couronne française ; deuxièmement la dynastie de ces quatre grands abbés, qui ont chacun régné pendant un demi-siècle ; troisièmement une spiritualité monastique nouvelle, où sont nés également quelques traits du nouvel art roman de Bourgogne, ce classicisme du Moyen Age, qui a donné comme plus beaux témoins les chapiteaux des huit tons en haut des colonnes du cœur de Cluny III, définition et expression, par leur contenu et leur forme, de ce que cherchait Cluny ».

Klaus BUSSMANN

Station romaine, villa sous les rois francs, que Charlemagne offre en 801 au chapitre de la cathédrale de Mâcon, échangée en 825 contre GENOUILLY, Cluny devient en 893 propriété de Guillaume, duc d'Aquitaine, marquis de Gothie, comte d'Auvergne et de Bourges, qui en fait son séjour de chasse préféré. En 910 il décide, ''pour l'amour de Dieu et Notre Sauveur Jésus-Christ'', de donner cette ''villa'' à Bernon, abbé de Baume-les-Messieurs pour y fonder un monastère.

La charte de fondation, signée à Bourges le 11 septembre 910, comportait quatre décisions capitales pour l'avenir :
A) Le nouveau monastère serait régi par la règle de Saint Benoît, de manière à ce que « tout le désir et l'ardeur pussent tendre ... à y réaliser l'ambiance céleste ». N'est-ce pas déjà une des clefs de l'architecture clunisienne ?

B) Une clause particulière prévoyait l'exemption de toute sujétion temporelle ou spirituelle autre que celle du pape. Donc indépendance politique absolue, doublée d'une dépendance exclusive du Siège apostolique, et donc...

C) Garde des apôtres Pierre et Paul et défense du pontife romain. C'est la réforme spirituelle et morale de Cluny qui, ensemble avec les papes, va libérer le pouvoir ecclésiastique des ingérences temporelles ; pas de Canossa sans St. Hugues... !

D) Injonction aux moines de s'adonner aux œuvres quotidiennes de la miséricorde envers les pauvres, les indigents, les étrangers, les voyageurs. Cette miséricorde, cette compassion et cette charité ont été la gloire de tous ces grands abbés. Comment comprendre autrement l'accueil favorable que Pierre le Vénérable allait faire à Abélard, solennellement condamné par l'Eglise ?

La chapelle du domaine étant trop petite, Bernon commence la construction d'une église, consacrée en 926. Aimar, en 948 entreprend la construction d'une église plus grande, consacrée en 981, sous Mayeul. Celui-ci joue un rôle de premier ordre. Il refuse la tiare, pour se consacrer entièrement à ses moines. Il est l'ami intime de plusieurs empereurs de la maison de Saxe, conseiller très écouté de Hugues Capet et réformateur de nombreux monastères français et italiens.

Odilon lui succède en 994. On lui doit l'idée d'un "empire monastique", l'expansion rationnelle de l'ordre et la fête de la commémoration des morts le 2 novembre. Il se rend neuf fois à Rome, appelé en conciliateur. En 1014, l'empereur Henri II, de passage à Cluny, laisse "en hommage à la grandeur de l'abbaye", son sceptre et sa couronne.

Saint Hugues (1049-1109) va porter à son apogée la gloire de Cluny, qui compte quelque 1600 dépendances, partout en Europe. Il est condisciple du pape Grégoire VII et parrain de l'empereur Henri IV.

En 1088 il commence la construction de cette immense église, que les archéologues appellent CLUNY III, et dont la renommée attire encore les foules. En 1095 le pape Urbain II, qui se rend au concile de Clermont, où il appellera à la première croisade, peut bénir le chœur et l'autel majeur. Quand Saint Hugues "le Grand" meurt le 28 avril 1109, le transept est terminé.

Pons de Melgueil finit la construction des nefs et de la façade. Mais il est déposé en 1122, menant trop grand train de vie.

C'est Pierre le Vénérable qui est élu, après un court inter-règne de Hugues II. Pierre peut terminer le chantier de la basilique en 1130.

Avec sa mort en 1156 prend fin l'époque des grands abbés. C'est l'ordre de Citeaux et ses Cisterciens qui vont supplanter Cluny.

Certes le monastère continue à vivre, à jouer un rôle dans l'histoire des siècles suivants, mais ce n'est pas là notre propos.

La Révolution Française va disperser les derniers moines, le dernier abbé meurt dans la citadelle de l'Ile de Ré. L'Empire consomme la ruine définitive de l'abbaye, qui est vendue comme bien national et sert de carrière de 1811 à 1823, d'ailleurs contre la volonté des habitants et de la municipalité, qui tenteront en vain d'empêcher cette œuvre de vandalisme des temps modernes.

Seuls restent debout la tour dite de l'eau bénite, la tour de l'horloge - il fallait bien pouvoir lire l'heure ! - et un bras du transept sud avec ses absidioles.

LE PARVIS DES ANGES

Déjà au moment de la construction de l'abbaye définitive, Cluny suscita l'admiration des hommes. Nous ne citerons que deux des très nombreux témoignages enthousiastes de l'époque :

« J'ai vu ce paradis d'où s'échappent les sources des quatre évangiles pour se répandre ensuite en autant de ruisseaux qu'il y a de vertus spirituelles ; j'ai vu ce jardin où fleurissent les grâces, les roses et les lis, où l'on respire les parfums les plus doux. Qu'est-ce donc que le monastère de Cluny, sinon le champ fécond du Seigneur où, comme une céleste moisson, vit en pratiquant la charité, un chœur si nombreux de moines ? Ce champ est retourné chaque jour par le hoyau de la parole sainte et il recueille tous les germes de la

céleste éloquence. C'est là que s'entassent les produits des récoltes spirituelles qui seront plus tard portés dans les greniers célestes. »

PIERRE DAMIEN, cardinal d'Ostie

« Encouragé par un avertissement divin, Hugues construisit, comme une tente pour la gloire de Dieu, une basilique si grande et si belle qu'on pourrait difficilement en citer une autre plus vaste et plus admirable. Elle est d'une telle splendeur que, si les habitants du ciel pouvaient se plaire dans nos demeures humaines, on dirait que c'est ici comme le parvis des anges ».

L'Evêque du Mans

L'art de Cluny est vraiment un art universel, qui exprime à merveille ce mot "catholicité", un peu malaimé, car mal compris, de nos jours.

Il est la somme et la quintessence de tout ce que les artistes du monde d'alors étaient capables de faire. L'œil exercé y décèle aussi bien Rome que Byzance ou l'Empire. L'abbaye de St Hugues est fortement ancrée dans la tradition romaine, avec toute sa majesté, mais se veut en même temps la rivale de l'empire, tout en lui empruntant des éléments. Mais Hugues voulait faire mieux que Spire : *« En vingt ans, il construisit une basilique telle que si un empereur l'avait réalisée en si peu de temps, le fait aurait été considéré comme digne d'admiration ».* Voilà ce qu'écrit Gilon le biographe de Saint Hugues, 20 ans après sa mort. Mais le fait est, que l'empereur ne l'a pas réalisé... (!)

On a aussi parlé de polyphonie au sujet de cette basilique, de l'extraordinaire harmonie de l'ensemble. On a certainement - souvent - beaucoup trop mis l'accent sur la splendeur grandiose, voire exagérée de ce bâtiment. Il était avant tout harmonie. Et il n'est plus permis de douter que des lois de la musique, des lois mathématiques, celle de Vitruve, aient servi pour sa construction, pour créer une parabole de l'Harmonie de Dieu.

Il est hors de question, dans le modeste cadre de ce livre, d'entrer dans des détails, de vouloir participer à la discussion des spécialistes sur cette "fata morgana" que présentent les ruines de l'ancien "phare de l'Occident".

Disons seulement que la classification en CLUNY I, II et III est un raccourci dangereux : jamais de 910 à 1130 et au-delà l'on n'a cessé de construire à Cluny.

Je citerais seulement Heinrich LÜTZELER, qui a été le premier à savoir m'enthousiasmer pour Cluny :

« Cluny offre aussi l'espace nécessaire aux grandes processions, aux masses enthousiastes qui affluent. En effet les moines de Cluny ont beaucoup fait pour ces laïques anonymes, qui vivaient, depuis les Carolingiens, en marge des évènements sociaux, formaient le fond sombre de la vie des maîtres. Ils soutiennent leur dévotion par une activité pastorale intense, par les écoles et l'enseignement, et surtout par les pélerinages célèbres : St Jacques de Compostelle, Jérusalem, St Michel sur le Mont Gargano en Italie. C'est au peuple, réuni ici pour la première fois, qu'appartiendra l'avenir à l'époque gothique et à la Renaissance. La performance sociale des moines de Cluny se réflète dans la forme de CLUNY III : l'immense chœur, aux formes multiples, est la scène, où les moines offrent le spectacle de la sainte liturgie, la sûreté imposante de son ensemble extérieur aux nombreuses tours est l'incarnation de cette compénétration de l'humain et du divin, que toute l'époque romane a si passionément affirmée, sa largeur et son étendue en longueur, avec le narthex et ses chapelles rayonnantes, utilisées pour montrer des reliques, est l'église des pélerins et des processions des masses du peuple, que la religion met en branle pour la première fois. »

Est-ce que les "masses mises en branle" par la curiosité et l'industrie du tourisme, qui déferlent en larges flots chaque année sur les vestiges de ce jardin délibéré des béatitudes, sont encore ne serait-ce qu'effleurées par ces réalités ?

UNE COURONNE RAYONNANTE

Comme Cluny, l'abbaye St Philibert de TOURNUS fait partie des lieux, dont une visite s'impose obligatoirement.

De plus la proximité de Cluny lui donne une place de choix dans notre région, comme dans ce livre. Si celui, qui n'a pas encore fait "son devoir" de passer à Tournus, aura été incité à le faire, ce petit texte aura atteint son but...

St Philibert de Tournus présente son échantillonage de l'art roman, de ses origines à son épanouissement, mais surtout toutes les formes de voûte que cet art ait connues : le plein cintre, l'arc brisé, la voûte d'arêtes, la coupole... Quel lieu rêvé pour faire, et qui plus est, pour vivre un cours d'histoire de l'art !

Tournus est malheureusement un de ces vases clos des archéologues, qui n'auront jamais fini de se battre sur la chronologie de sa construction. Mais que deviennent toutes ces querelles stériles à côté de la splendeur enchanteresse des lieux ?

Force, dépouillement est harmonie, voilà ce qui frappe toujours, même le visiteur non initié. Et cette harmonie de l'ensemble devient d'autant plus étonnante si l'on considère qu'il n'est finalement que le résultat de bouts rapportés, assemblés pendant au moins trois siècles, sans tenir compte des chapelles latérales gothiques.

Quel émerveillement quand on pénètre pour la première fois dans la nef élancée, baignée de lumière, sous ses berceaux transversaux, après être passé par l'obscur mais si puissant narthex ; et en descendant dans la crypte, qui ressemble si étrangement à celle de St Barthélémie à PADERBORN en Westpalie - ne sommes-nous pas directement à la frontière de l'empire ? Mais il faut tout de même prévenir le visiteur que les voûtes de cette crypte ne sont point le fruit d'une restauration récente, qui aurait manqué de moyens. Elles sont au contraire un témoignage éloquent des techniques de construction d'une voûte sur cintres en bois, mais normalement crépie, et il reste même quelques planches qui ont résisté au démontage des échaffaudages. N'oublions pas que le "béton" est une découverte romaine...

Et il faut surtout monter à la chapelle St Michel, l'archange qui garde l'accès aux lieux sacrés, (et se trouve donc souvent à l'entrée des églises), pour découvrir ses proportions parfaites et les premiers tatonnements de la sculpture romane en Bourgogne. Malheureusement assez peu de visiteurs poussent leur curiosité, après autant de splendeurs, jusqu'à faire le tour du bâtiment pour découvrir le chevet, premier exemple encore debout d'un chœur avec déambulatoire et chapelles rayonnantes, cette couronne rayonnante !

La région de Tournus a été évangélisée dès la fin du deuxième siècle par Saint Valérien, condisciple des chrétiens de Lyon (premiers martyrs en 177). La crypte porte encore son nom.

On ne sait rien de la première église et de la communauté qui s'est installée sur les lieux du martyr de Valérien.

En 875 arrivent d'autres moines, qui ont été chassés de Noirmoutier vers 830 par les incursions normandes, et parcourent depuis ce moment là le pays, toujours et toujours en fuite, pour mettre à l'abri le corps vénéré du fondateur de Jumièges et d'autres monastères sur la côte vendéenne, Saint Philibert. C'est le roi Charles le Chauve qui leur a donné le monastère de Saint Valérien, sans que la communauté de celui-ci ait cessé d'exister. Le terme de cohabitation, tellement à la mode depuis 1986, désigne déjà la vie commune de ces deux communautés, qui n'ont d'ailleurs pas toujours vécu en pleine harmonie.

Les réfugiés de Noirmoutier doivent même quitter encore une fois Tournus.

Mais à la fin du 10e siècle les moines des deux communautés deviennent vraiment des frères, et désormais la vie dans ce donjon de la foi ne sera pas plus perturbée, même si les Huguenots vont saccager l'église en 1562, et même si le narthex n'a jamais servi de donjon, comme on le prétend parfois.

L'admirable buffet d'orgue date de 1629, mais il masque fort malheureusement et la splendide tribune en encorbellement romane, sur laquelle il repose, et l'arc dit de Gerlannus,
qui servait de cadre aux liturgies de la semaine sainte.

PAR MONTS ET PAR VAUX

« *Parmi les sommets d'un voyage en Bourgogne compte la route de Tournus à Cluny* ».
Klaus BUSSMAN

En effet cette - ou plutôt ces routes, car il ne faut pas avoir peur de quitter les sentiers
battus ou les circuits fléchés - sont jalonnées d'une multitude inouïe d'églises romanes.
Elles offrent une variété peu commune de plans, d'élévations et de couvertures, en utili-
sant chaque fois les matériaux locaux, un calcaire gris ou jaune, passant parfois au doré.
Dans beaucoup de ces humbles sanctuaires le savoir-faire des maçons est l'unique orne-
ment, mais depuis quelques années on découvre, cachées derrière plusieurs couches de
plâtre, des peintures murales, dont plus d'une cathédrale serait fière.

Nous ne mentionnerons ici que l'extraordinaire Christ en gloire de GERMAGNY d'une
jeunesse éclatante, dégagé en 1983. D'autres dégagements sont en cours, comme à
BURNAND.

Mais il faudrait toutes les nommer, ces églises rurales, mais si peu rustiques. Le problème
est que pour cela il faudrait une encyclopédie.

Je ne peux donc qu'inviter le lecteur à un jeu :

LE JEU DE LA PIERRE ET DE LA FOI

Et maintenant partons donc à la découverte de ce pays du Clunisois, et de toute la Bourgogne du Sud, cette terre d'art et du savoir-vivre, car la vraie vie est ici.

Laissez vous prendre à ce jeu divin, dans le sens figuré et propre du terme, qui consiste
à parcourir les routes de ce coin de France béni des dieux et de la nature, d'église romane
en église romane.

Et il faut ajouter que ce même jeu est tout aussi possible et tout aussi enrichissant, en
''remplaçant'' les églises par les châteaux, les châteaux par les manoirs, les manoirs par
les fermes et maisons paysannes ou vigneronnes, celles-ci par les croix de chemins et de
carrefours, les croix par les lavoirs, les lavoirs par... tout ce qui est beau !

Ce jeu ne nous mènera pas vers des cathédrales ou des ''Chambord'', mais n'en sera que plus humain, plus poétique.

Toutes ces merveilles sont si bien intégrées dans les sites, les villages et paysages, et composent avec eux et les clôtures des chemins, des prés et des vignes, une telle unité, qu'on ne les ''distingue'' à peine, qu'on oublie qu'elles sont œuvres d'hommes.

Une des plus belles phrases du grand historien de l'art Henri FOCILLON, dans ''Le Moyen Age Roman'', semble avoir été écrite en ayant devant les yeux, ne serait-ce intérieurs, notre petit pays :

« *CERTAINES RÉGIONS RUSTIQUES SONT COMME JALONNÉES DE CHEFS-D'OEUVRES* ».

Live in heavenly peace !

Claus Haverkamp

THE HEART OF ROMANESQUE ART, CLUNY AND ITS SURROUNDINGS

« Do not destroy our vision.
Perhaps tonight the moon
Will dissolve
Into a glitter of stars
Or wings tremble these black hills
With majesty ».

Harold LOCKYEAR

After visiting Cluny in October 1854, the archeologist de GUILHERMY wrote :

"The very name of Cluny symbolises the height of monastic power and architecture in the Middle Ages. Even today, amidst the time-worn ruins, a pilgrimage to Cluny is one of the most interesting visits that one can undertake." From the hundreds of tourist coaches and the thousands of cars, which every year bring people from all over the world, one sees that Cluny has obviously not lost any of its attraction. Romanesque art is in fashion and the name of Cluny means "something". It is one of those places which must be seen...

But, let us quote another author from the last century : "Cluny was for me both a surprise and a disappointment. Of the splendours of former times only a few stones still stand... You have to come well-informed to be able to find your way around this surprisingly cleared area."

(W. Morton FULLERTON "Terres Françaises")

The modern tourist gets the same feeling of disappointment when he sees what remains of the largest church in Christendom, this community, of which one of my childhood friends said : "I think Cluny left more marks upon the history of the Church than the Reformation of Luther...".

This book does not at all intend to provide the reader with this "detailed information" which Fullerton speaks of. Dozens of books exist, which do it far better.

Its aim, in effect, is twofold :

- To encourage the tourist, attracted by the glory of Cluny, not only to limit his visit exclusively to Cluny, but also to take the time to discover the surrounding countryside. To wander through this region, which is one of the most beautiful in France.

- To leave the traveller with a pleasant souvenir of his visit, one he will enjoy re-living once back home and which will leave only one desire : to return one day.

The area around Cluny is indeed not only one of the most beautiful but also one of the richest in Europe with two hundred and fifty romanesque churches, as many castles and manors, lovely villages and country houses, and without forgetting of course its history, literature and gastronomy. Don't talk about this region or compare it with others. It is beyond comparison. You must go there. It is one of those regions where, deep down, you would like to live. Like its wines, it makes you dream.

We deliberately gave up the idea of including a map ; the examples we quote are no more than more examples : each of the two hundred and fifty churches, each village or hamlet is worth a journey.

Can this extraordinary richness be explained ?

An explanation can be found with Charles OURSEL in his remarkable "L'Art de Bourgogne" : "invaded from all sides and open to all influences... Burgundy has received, retained and adapted so much to make it its own". These lines could have been written for the countryside around Cluny. This region is indeed the border between the North and the South of France. Here lies the imaginary line which divides the nordic and mediterranean civilisations ; which divides Common and Unwritten Law (imposed by germanic traditions) from written Roman Law ; here lies the boundary between the "Oil" and "Oc" languages and between two styles of architecture which still remain ; the steeply pitched roofs covered with flat tiles to the north, while to the south, the slope is less pronounced and the tiles are rounded...

This is certainly one of the reasons why Cluny is counted among the wonders of the world. Cluny is indeed the meeting point of Christian Art.

CLUNY : ROMA SECUNDA VOCOR

« Three factors contributed to the development and the exceptional position of Cluny. Firstly, it was situated in a "power vacuum" (Walasch), in a region which belonged neither to the Empire nor to the French Crown. Secondly, the dynasty of these four great Abbots, each of whom reigned for more than half a century. Thirdly, a new monastic approach to spirituality which saw the birth of certain features of new romanesque art in Burgundy. This classicism of the Middle Ages gave as its most striking example the capitals with their eight tones at the top of the columbs in the chancel of Cluny III. Through their form and content, they define and express what Cluny was seeking ».

Klaus BUSSMAN

Originally, a Roman resort, a villa under the Frankish kings, given, in 801, to the chapter of Mâcon cathedral by Charlemagne, exchanged in 825 for GENOUILLY, in 893, Cluny became the property of William, Duke of Aquitaine, Marquis of Gothie, Count of Auvergne and Bourges, who transformed it into his favourite hunting lodge. In 910, William decided, "for the love of God and our Saviour Jesus Christ", to give this "villa" to Bernon, Abbot of Baume-les-Messieurs, so that he could found a monastery there.

The foundation charter, signed in Bourges on September the 11th 910, contained four provisions which were to be crucial for the future :

A. The new monastery would be governed under the rules of St Benedict in such a way that "both the desire and the fervour... would enable a heavenly atmosphere to be created there." Is this not already one of the keys to the architecture of Cluny ?

B. A special clause provided that Cluny would not be subject to any temporal or spiritual power except that of the Pope, thereby providing it with absolute political independence under the exclusive control of the Holy Seat and appointing it...

C. Guardian of the apostles Peter and Paul and warden of the Sovereign Pontiff. It was the moral and spiritual reform of Cluny, in agreement with the popes, which freed the ecclesiastical power from any temporal interference ; no Canossa without St Hugh !

D. A daily obligation for the monks to help the poor, the destitute, foreigners and travellers. Mercy, compassion and charity were to bring glory to all these great abbots. How, otherwise can one understand the welcome given by Peter-the-Venerable to Abelard, who had been solemnly condemned by the church ?

As the chapel to the estate was too small, Bernon built a church which was consecrated in 926. In 948, Aimar began the construction of a larger church which was consecrated in 981, under Mayeul. Mayeul played a major role ; he refused to be named Pope in order to devote his life entirely to his monks. He was the close friend of several emperors of the

House of Saxe. He was Hugh Capet's valued adviser and was also the reformer of numerous French and Italian monasteries. Odilon succeeded him in 994. To him is attributed the idea of a "monastic empire", of the rational expansion of the Order, as well as the commemoration of the dead on November the 2nd. Called in as a conciliator, he travelled to Rome nine times ! During a stay in Cluny in 1014, the Emperor Henry II, left his sceptre and crown as a "tribute to the grandeur of the Abbey".

Saint Hugh (1049-1109) brought Cluny to the height of its glory with some 1600 dependencies, throughout Europe. He was the school fellow of Pope Gregory VII and the godfather of Henry IV.

In 1088, he started the construction of that enormous church known to archeologists as Cluny III, the fame of which still attracts crowds today. In 1095, pope Urban II, on his way to Clermont, (where he was to call for the first crusade) stopped in Cluny in order to consecrate the choir as well as the main altar. When St Hugh "the Great" died, on April 28, 1109, the transept was completed.

Pons de Melgueil finished the facade and the naves. However, he lived in such grand style that he was deposed in 1122. Peter the Venerable was elected after the short interregnum of Hugh II, and he completed the basilica site in 1130. The era of the great Abbots came to an end with his death in 1156 and Cluny was to be superseded by the monastic order of Citeaux and the Cistercian monks.

Of course the monastery was to continue and to play a role in history during the centuries to come, but this is not the subject of this work.

The French Revolution was to scatter the remaining monks and the last Abbot died in the citadel on the island of Re. The Empire completed the final ruin of the abbey ; it was sold as national heritage and was used as a quarry from 1811 to 1823, incidentally, against the will of both the inhabitants and the local administration which tried, without success, to prevent this modern vandalism.

The "holy water" tower, the clock tower (you had to be able to tell the time) and one arm of the south transept, together with its apsidioles, are the only evidence remaining of that glorious era.

THE COURTS OF THE ANGELS

Already at the time of construction of the abbey in its final form, Cluny aroused admiration. Of the many enthousiastic descriptions of the day, I shall mention only two :

« *I contemplated this paradise, where the four gospels, like springs, let flow as many streams as there are spiritual virtues ; I saw the garden where blessings, roses and lilies bloom, where one breathes the sweetest fragrances. What is the monastery of Cluny, but the Lord's fertile field, where this chorus of monks live, dispensing charity like a celestial harvest ? Like a hoe, the Word of God breaks up this soil each day, reaping the fruit of heavenly eloquence. This spiritual harvest is stored here, and later, carried to the celestial granaries.* »

Peter DAMIEN, cardinal of Ostia.

« Heeding the voice of the Lord, Hugh built a basilica so grand and so beautiful that it would be difficult to find another more vast or more admirable, like a tent to the splendour of God. Its splendour is such that if the inhabitants of heaven were able to enjoy human dwellings, one would say that these are the courts of the angels. »

Bishop of le Mans.

Cluny's art is truly universal ; it expresses wonderfully the meaning of the word ''Catholicity'', which nowadays, is misunderstood and thus somewhat unloved. It represents at the same time the sum and the quintescence of what all the artists of the world at that time were capable. The trained eye discovers the influence of Rome, of Byzantium and of the Empire. The abbey of St Hugh is solidly anchored in the Roman tradition with all its majesty ; but, at the same time it also rivals with the Empire, while borrowing some of its elements. Hugh wished to do better than Spire : ''In twenty years he built a basilica which was so splendid that had an Emperor done it in such a short time, it would have been considered worthy of admiration''. These were the wordes of Gilon (St Hugh's biographer), twenty years after his death. But the fact remains, the Emperor did not...

When speaking about the basilica, polyphonie is also mentioned as well as its extraordinary harmony. One often emphasizes too much the grandiose, almost exaggerated splendour of this building. It was above all in perfect harmony, we now know without any doubt that the laws of music and mathematics (that of Vitruve) helped in its construction so as to create a parabole to the Harmony of God.

Within the modest framework of this book, we shall leave aside the details and not try to take part in the specialists' discussion on the ''fata morgana'' which is presented by the ruins of this ancient ''lighthouse of the Occident''.

Let us only say that classifying Cluny as I, II and III, constitutes a dangerous shortcut : from 910 to 1130, and even later building in Cluny never ceased.

Let me only quote Heinrich LUTZELER, who was the first to arouse my enthusiasm for Cluny :

« Cluny is also large enough to accommodate grand processions and enthusiastic crowds. On pack, the monks did a lot for those anonymous laymen and women who, since the Carolingians, lived isolated from social events and formed the unseen background of their masters' lives. To reinforce their devotion they threw themselves into intense pastoral activity, exercised through schools and teaching and above all, through the famous pilgrimages : St James of Compostela, Jerusalem and St Michael's of Monte Gargano, in Italy. It is to the people, gathered here for the first time, that the future will belong during the Gothic period and the Renaissance. The social role of the monks is reflected in the form of Cluny III ; the immense chancel with its decoration, is the stage upon which the monks performed the holy liturgy ; the feeling of security imposed by the structure with its numerous towers embodies the interpretation of the human and the divine, so passionately stressed during the romanesque period ; wide and long, (with its narthex and apsidal chapels where the relics were displayed), it really is the church of pilgrims and people's processions, which religion prompted for the first time. »

I wonder wether today's crowds ''prompted'' by curiosity and the tourist industry, which like tides flow each year over the ruins of this hallowed garden, are aware, if only slightly, of the reality of its past ?

17

A SHINING CROWN

Like Cluny, the Abbey of St Philibert, in TOURNUS, is one of those places that must be visited. The fact that it is close to Cluny makes it something special both to our region and to this book. If the reader who has not yet "done his duty" and visited Tournus, is now tempted to do so, we have achieved our end. St Philibert offers a sampling of romanesque art from the time of its birth to the height of its splendour and in particular all forms of vaults typical of this art : the round arch, the pointed arch, the groined vault, the cupola... How could one dream of a better place to study or even more "to live" a course on the history of art !

Unfortunately, Tournus is a sort of a "preserve" and archaeologists will never cease to argue about the chronology of its construction. But, what is the importance of such sterile squabbles compared with the enchanting splendour of the site itself.

Strength, harmony and a style reduced to essentials such are the features which strike even the uninitiated visitor. This overall harmony is even more surprising when one realises that it is the end result of additions made over a period of at least three centuries, even if the Gothic side chapels are not taken into consideration.

What a marvellous feeling, when, for the first time, you enter the slender nave, with its transversal tunnel-vaults, bathed in light, having passed through the dim but imposing narthex, or entering the crypt (so strangely similar to that of St Barthelemy's in PADERBORN - Westphalia), are we not standing at the frontiers of the Empire ? The visitor should be warned, nevertheless that the vaults of the crypt are not the fruit of some recent attempt at restoration, which ran out of funds. On the contrary, they bear eloquent witness to the technique used in building a semicircular vault in wood, which normally would have been plastered ; indeed some boards that survived the dismantling of the scaffolding, still remain. We should not forget that "concrete" is a Roman discovery...

One should above all visit the chapel of St Michael, the Archangel, who guards the entrance to the sacred places, so as to discover its perfect proportions as well as the first attempts at romanesque sculpture in Burgundy. Unfortunately, few visitors are tempted, after so much splendour, to walk around the church and thus discover the chevet : the eldest example of a choir with ambulatory and radiating chapels : this shining crown !

The Tournus region was evangelised from the end of the second century by St. Valerian, who was a fellow student of the Christians of Lyon (first martyrs in 177). The crypt still bears his name. Nothing is known about the first monastery which was built on the site where Valerian was martyred.

Other monks arrived in 875 ; they had been driven out of Noirmoutier in around 830 by the Norman raids. From then onwards, always on the run, they moved from place to place, looking for a safe place to shelter the revered body of St. Philibert, founder of Jumieges and other monasteries on the coast of the Vendee. Charles the Bald gave them the St Valerian monastery without dissolving the existing order. The term "cohabitation" so fashionable in French politics since 1986, already marked the community life of the Orders, which I might add, did not always live together in complete harmony.

In fact, the Noirmoutier refugees had to leave Tournus once again.

However, by the end of the 10th century, the monks of the two Orders became real brothers. From then on, life in this stronghold of the faith ceased to be disturbed, althouth the Huguenots were to sack the church in 1562, and even if the narthex was never really used as a keep as it has sometimes been claimed.

The wonderful organ chest dates from 1629. Unfortunately however, it hides both the splendid overhanging romanesque gallery, upon which it rests, and the so-called arch of Gerlannus where the liturgies of the holy week were held.

UP HILL AND DOWN DALE

« The road from Tournus to Cluny counts among the highlights of a trip to Burgundy ».
Klaus BUSSMANN.

The road, or rather these roads (for one must not be afraid to turn aside from the beaten track or the marked itinerary), are strewn with an incredible number of Romanesque churches. They show an unusual variety of plans, elevations and roofs ; local building materials have been used, a grey or yellow limestone which sometimes seems golden. In many of these humble sanctuaries, the masons' knowhow is the only decoration ; however, over the post few years, a number of mural paintings, hidden beware many layers of plaster, have been discovered, some of which, many a cathedral would be proud to house.

We shall only mention here the extraordinary "Christ in Glory" of GERMANY, of an extraordinary juvenility, which was found in 1983. Other murals are being uncovered, like in BURNAND etc. We should mention all these rural but never rustic churches. Unfortunately, to do would require an encyclopedia.

Therefore, I can only invite the reader to play a game :

THE GAME OF THE STONE AND THE FAITH

Now, let us discover the countryside around Cluny, as well as the whole of southern Burgundy. This land of art and good living, for real life is here.

Try this divine game, divine in the proper sense as well as in the figurative one. Stroll along the roads of this corner of France, a corner blessed by the gods and nature, from Romanesque church to Romanesque church.

I have to add that this game can also be played and is just as rewarding, by "replacing" the churches by castles, the castles by manor houses, the manor houses by the farms and Burgundy houses which, in turn, can be replaced by the crosses found where roads meet, the crosses by the village washing places, the washing places by... by anything beautiful ! This game will not lead us towards cathedrals or chateaux like "Chambord" but it will be more human, more poetic.

These wonders are such an integral part of the sites, villages and landscapes, so inextricably linked with the hedgerows, the fields and the vineyards, that it is difficult to distinguish them. We forget that they are the work of man.

Henri FOCILLON must have had in mind, if not before his very eyes, our picturesque region, when he wrote so expressively :

« LIKE LANDMARKS, MASTERPIECES ARE SCATTERED ABOUT THE COUNTRYSIDE ».

19

Claus Haverkamp

Unsere Heimat ist da, wo wir glücklich sind.

IM HERZEN DER ROMANIK IM BANNKREIS VON CLUNY

Auch das Schöne muß sterben !
Siehe, da weinen die Götter,
es weinen die Göttinnen alle,
Daß das Schöne vergeht,
daß das Vollkommene stirbt.

Fr. von SCHILLER

Nach seinem Aufenthalt in Cluny, im Oktober 1854, schrieb der Archäologe de GUILHERMY :

« *Allein der Name von Cluny scheint der höchste Ausdruck der Macht und der Architektur der Mönche im Mittelalter zu sein. Auch heute noch, nach der Anhäufung von so vielen Ruinen, ist eine Pilgerfahrt nach Cluny einer der interessantesten Ausflüge, die man unternehmen kann* ».

Angesichts der Hunderte von Bussen mit Touristen, der Tausende von Autos, die jedes Jahr Neugierige und Besucher aus der ganzen Welt nach Cluny bringen, scheint dieses nichts von seiner Anziehungskraft verloren zu haben. Sein Name besagt "etwas", die Romanik ist in Mode, und dabei gehört Cluny eben zu den Orten, die man gesehen haben muß...

Doch sei noch ein anderer Autor aus dem letzten Jahrhundert zitiert :

« *Cluny war für mich eine Überraschung und eine Enttäuschung ; vom Glanz früherer Zeiten stehen kaum mehr als ein paar Steine aufrecht... Man muß kommen, versehen mit genauen Informationen, um sich auf diesem erstaunlich leergefegten Boden zurechtzufinden.* »

W. Morton FULLERTON "Terres Françaises"

Für den modernen Touristen hat sich der Eindruck kaum geändert, vielfältig sind die Enttäuschungen nach einem Besuch von dem, was einmal die größte Kirche der Christenheit war, von dieser Kongegration, von der ein Jugendfreund einmal gesagt hat : « *Für mich hat Cluny mehr Spuren in der Geschichte der Kirche hinterlassen, als die Reformation des Martin Luther...* »

Dieses Buch hat nicht im geringsten die Absicht, diese "genauen Informationen", von denen Fullerton sprach, zu geben. Es gibt Dutzende von Büchern, die das entschieden besser tun. Es verfolgt hingegen zwei Ziele :

— den Besucher auf der Durchreise, angelockt vom Ruhm von Cluny, dazu zu bewegen, seinen Aufenthalt nicht auf dieses allein zu beschränken, sondern sich die Zeit zu nehmen für eine Fahrt durch die Umgebung, sich auf den Landstraßen dieser Gegend, die zu den schönsten Frankreichs gehört, zu "verlieren".

— Ihm ein schönes Souvenir seines Besuches in die Hand zu geben, das er, nach Hause zurückgekehrt, gerne immer wieder durchblättert, wobei in ihm der Wunsch entsteht, einmal wiederzukommen.

Die Gegend rund um Cluny gehört in der Tat zu einer der schönsten und reichsten in Europa, mit ihren 250 romanischen Kirchen, ebensovielen Burgen und Herrensitzen, ihren Dörfern und Häusern, ohne ihre geschichtlichen, literarischen und natürlich gastronomischen Schätze zu vergessen. Dieses Land sollte man nicht erzählen oder vergleichen - es ist unvergleichlich - man muß häufigen Umgang mit ihm pflegen. Dieses Land ist eines von den Fleckchen Erde, von denen man sich heimlich sehnt, sie mögen einem Heimat und Zuflucht werden, gerade so wie man davon träumt, seine Weine nach Belieben zur Verfügung zu haben...

Wir haben absichtlich auf das Abdrucken einer Landkarte verzichtet. Die einigen wenigen Beispiele sind eben nur als Beispiele gedacht, ohne jedoch irgendwie beispielhaft zu sein ! Jede der 250 romanischen Kirchen, jedes der Dörfer, jeder Weiler "ist eine Reise wert..."

Gibt es eine Erklärung für diesen außergewöhnlichen Reichtum ?

Man muß sie sicherlich in dem suchen, was Charles OURSEL über ganz Burgund, in seinem beachtenswerten Buch "L'Art de Bourgogne", geschrieben hat : « *Von allen Seiten durchdrungen und allen Einflüssen offen... hat Burgund viel empfangen, behalten, angepaßt und sein gemacht* ».

Es scheint, als seien diese Zeilen für das Land um Cluny geschrieben worden. Befindet sich doch hier die Grenze zwischen dem Norden und dem Süden Frankreichs, verlaufen hier jene idealen Linien, die Grenzen der zwei Zivilisationen markieren, der nordischen und der mittelmeerischen, jene Grenze zwischen dem mündlichen Gewohnheisrecht, germanischer Tradition, und dem geschriebenen römischen Recht, die Grenze zwischen der Langue d'oïl und der Langue d'oc, die - noch immer sichtbare - architektonische Grenze : im Norden die spitzen Giebel der mit flachen Ziegeln gedeckten Dächer, im Süden die Häuser mit nur leicht geneigten und mit Rundpfannen gedeckten Dächern.

Diese Gegend steht, wie die Menschen die sie geschaffen haben und jene, die sie heute bewohnen, allem und allen offen. Und gerade das macht sie so anziehend und angenehm.

Und hier liegt sicherlich auch einer der Gründe verborgen, die aus CLUNY eines der Wunder der Welt gemacht haben. Denn in Cluny verschmilzt die gesamte christliche Kunst.

CLUNY :
ROMA SECUNDA VOCOR

« *Drei Umständen verdankt Cluny seinen Aufstieg und seine Sonderstellung : erstens der Lage in einem "Leerraum von Herrschaft" (Walasch), einem Gebiet, das weder zum Reich gehörte noch dem französischen Königtum untertan war ; zweitens der Dynastie jener vier großen, jeweils rund ein halbes Jahrhundert regierenden Äbte ; drittens einer neuen monastischen Geistigkeit, aus der auch Wesenszüge der neuen burgundischen Romanik erwaschen sind, jener mittelalterliche Klassizismus, dessen schönste Zeugnisse die Kapitelle mit den Darstellungen der acht Töne über den Säulen des Chors der dritten Kirche sind, nach Inhalt und Form gleich ausdrucksmächtige Definitionen dessen, was Cluny angestrebt hat* ».

Klaus BUSSMAN

Römische Siedlung, Villa der Franken-Könige, die Karl der Große 801 dem Kapitel der Kathedrale von Mâcon schenkt, 825 gegen GENOUILLY getauscht, kommt Cluny 893 in den Besitz von Guillaume, Herzog von Aquitanien, Markgraf von Gothien, Graf der Auvergne und von Bourges, dessen bevorzugter Jagdsitz es wird. 910 entscheidet Guillaume, « *zur Ehre Gottes und unseres Erlösers Jesus Christus* », diese "Villa" Bernon, Abt von Baume-les-Messieurs im Jura, zu überlassen, damit dieser dort ein Kloster errichte.

Die Gründungs-Charta, unterzeichnet am 11. September 910 in Bourges, enthielt vier für die Zukunft bedeutende Entscheidungen :

A) Das neue Kloster soll der Regel des Heiligen Benedikt unterstellt werden, so daß « *alles Verlangen und alle Inbrunst dazu führen.... dort die Atmosphäre des Himmels zu schaffen* ». Liegt nicht hier schon einer der Schlüssel für die cluniazensische Architektur ?

23

B) Eine besondere Klausel sieht die Exemption (Befreiung) von jeder weltlichen und geistigen Abhängigkeit, mit Ausnahme derer des Papstes, vor. Also absolute politische Unabhängigkeit, gepaart nicht nur mit einer ausschließlichen Abhängigkeit vom Heiligen Stuhl, sondern, darüber hinaus...

C) Schutzaufgabe der Apostel Petrus und Paulus und Verteidigung des Pontifex Maximus. Die geistige und moralische Reform von Cluny, in Zusammenarbeit mit den Päpsten, wird es sein, die die Kirchliche Macht von den weltlichen Eingriffen befreit ; kein Canossa ohne den heiligen Hugo !...

D) Ausdrücklicher Auftrag an die Mönche, sich den täglichen Werken der Barmherzigkeit, gegenüber den Armen, Notleidenden, Fremden und Reisenden, zu widmen. Diese Barmherzigkeit, dieses Mit-Leiden und diese Caritas machen den Ruhm aller großen Äbte aus. Wie könnte man sonst verstehen, daß Petrus Venerabilis den soeben vom Konzil feierlich verurteilten Abelard, so freundlich bei sich aufgenommen hat ?

Da die Kapelle der Domäne zu klein ist, beginnt Bernon sofort mit dem Bau einer Kirche, die 926 geweiht wird. Im Jahre 948 unternimmt Aimar den Bau einer größeren Kirche, die 981, unter Mayeul, geweiht wird. Dieser spielt eine Rolle ersten Ranges. Er verweigert die Tiara, um sich ganz seinen Mönchen widmen zu können. Er ist eng befreundet mit einigen Kaisern aus dem Hause der Sachsen, viel gehörter Berater des Kapetinger-Königs Hugo und Reformator zahlreicher Klöster in Frankreich und Italien.

Auf ihn folgt Odilo, im Jahre 994. Ihm verdanken wir die Idee eines "Monastischen Imperiums", die rationelle Ausweitung des Ordens und das Fest des Gedächtnisses aller Verstorbenen, Allerseelen. Er begibt sich neunmal nach Rom, wohin er als Schlichter gerufen wird. 1014 hinterläßt Kaiser Heinrich II, bei einem Aufenthalt in Cluny, dem Klosterarchiv "zu Ehren der Größe der Abtei", sein Zepter und seine Krone.

Unter dem heiligen Hugo (1049-1109) erreicht Cluny den Höhepunkt seiner Entwicklung und seines Ruhms ; es zählt an die 1600 Filialklöster, überall in Europa. Hugo ist Mitschüler des Papstes Gregor VII und der Pate Kaiser Heinrich IV.

1088 beginnt er den Bau jener gewaltigen Kirche, die die Kunsthistoriker CLUNY III nennen, und deren Ruhm noch heute die Massen anlockt. 1095 kann Papst Urban II, auf seinem Weg zum Konzil von Clermont, wo er zum ersten Kreuzzug aufrufen wird, den Chor und den Hauptaltar weihen. Beim Tode von Hugo "dem Großen" am 28. April 1109, steht das Querschiff.

Pons de Melgueil beendet den Bau des Schiffes und der Westfassade, doch wird er 1122 von den Mönchen abgesetzt, da er einen zu aufwendigen Lebenswandel führt.

Nach einem nur dreimonatigen Interregnum von Hugo II, wird Petrus Venerabilis zum Abt gewählt. Er beendet den Bau der Basilika im Jahre 1130.

Mit seinem Tode 1156 endet die Zeit der großen Äbte. Von nun an übernehmen der Orden von Citeaux und seine Zisterziensermönche die Führungsrolle.

Natürlich lebt das Kloster von Cluny weiter und spielt auch noch eine Rolle im Laufe der folgenden Jahrhunderte, doch das zu erzählen ist ja nicht Aufgabe dieses Buches.

Die Französische Revolution wird die letzten Mönche zerstreuen, der letzte Abt stirbt, als Häftling im Staatsgefängnis, der Zitadelle, auf der Insel Ré.

Das Empire wird den endgültigen Untergang der Abtei besiegeln ; sie wird als Staatseigentum verkauft und dient von 1811 bis 1823 als Steinbruch, übrigens gegen den Willen der Einwohner und der Verwaltung der Stadt, die vergeblich versuchen, dieses Werk des Vandalismus der Neuzeit zu verhindern.

Erhalten bleiben einzig der sogenannte Weihwasser-Turm, der Uhrturm - man wollte ja schließlich die Uhrzeit ablesen können - und ein Arm des südlichen Seitenschiffes mit seinen Chorkapellen.

DIE VORHALLE DER ENGEL

Schon zur Zeit ihrer Entstehung verursachte die endgültige Abteikirche die Bewunderung der Zeitgenossen. Hier seien nur zwei der zahlreichen Zeugnisse der damaligen Begeisterung angeführt :

« Ich habe das Paradies gesehen, in dem die Quellen der vier Evangelien entspringen, um sich, in ebensovielen Bächen, wie man geistige Tugenden zählt, zu ergießen ; ich habe jenen Garten gesehen, wo die Gnaden, die Rosen und Lilien blühen, wo man die süßesten Düfte atmet. Was ist das Kloster von Cluny, wenn nicht dieser fruchtbare Acker des Herrn, auf dem, wie eine himmlische Ernte, ein so zahlreicher Chor von Mönchen, die Barmherzigkeit praktizierend, lebt ? Dieser Acker wird jeden Tag mit der Hacke des Wortes Gottes umgegraben, und er empfängt alle Keime der himmlischen Eloquenz. Hier türmen sich die Früchte der geistigen Ernten, die später in die himmlischen Speicher getragen werden ».

PIERRE DAMIEN, Kardinal von Ostia

« Ermutigt durch göttlichen Auftrag, erbaute Hugo, wie ein Zelt zur Ehre Gottes, eine derart große und schöne Basilika, daß man schwerlich eine gewaltigere und bewundernswertere nennen könnte. Sie ist von einer solchen Pracht, daß, wenn die Bewohner des Himmels sich in unseren menschlichen Behausungen gefallen könnten, man sagen würde, daß hier so etwas wie die Vorhalle der Engel ist ».

Der Bischof von Le Mans

Die cluniazensische Kunst ist wahrhaft universal. Sie illustriert auf wunderbare Weise dieses Wort von der "Katholizität", das heute so sehr geringgeschätzt, da so sehr mißverstanden wird.

Sie ist die Summe und die Quintessenz von allem, was die Künstler der damaligen Zeit zu vollbringen imstande waren. Das geschulte Auge wird hier ebenso Rom, wie Byzanz oder das Imperium entdecken. Die Abteikirche des heiligen Hugo ist fest verwurzelt in der römischen Tradition, mit all ihrer Erhabenheit ; sie will aber gleichzeitig Rivalin des Imperiums sein, auch wenn sie ihm Elemente entlehnt. Hugo wollte mehr als Speyer : *« In nur zwanzig Jahren erbaute er eine derartige Basilika, daß, wenn ein Kaiser sie in so kurzer Zeit geschaffen hätte, dies als bewunderungswürdig betrachtet worden wäre ».* So schreibt der Biograph des heiligen Hugo, Gilon, zwanzig Jahre nach dessen Tod. Aber es ist nun einmal so, daß der Kaiser sie nicht geschaffen hat !

Angesichts dieser Basilika hat man auch von Polyphonie gesprochen, von der außerordentlichen Harmonie des Gesamtbaus. Oft wurde sicherlich zu sehr Gewicht gelegt auf ihren grandiosen, ja übertriebenen Glanz. Doch war sie vor allem Harmonie. Und es ist nicht mehr möglich, daran zu zweifeln, daß die Gesetze der Musik, der Mathematik, die des Vitruv, bei ihrem Bau herangezogen wurden, um hier ein Gleichnis von der Harmonie Gottes zu schaffen.

Es ist, in diesem bescheidenen Büchlein, natürlich nicht möglich, ins Detail zu gehen, an der Diskussion der Fachleute teilnehmen zu wollen, über diese von den Ruinen des ehemaligen Leuchtturmes des Okzidents gebildete "Fata Morgana".

Es sei nur gesagt, daß die Einteilung in CLUNY I, II und III eine gefährliche Verkürzung darstellt : niemals in den Jahren von 910 bis 1130, und darüber hinaus, hat man in Cluny aufgehört zu bauen.

Ich möchte nur noch Heinrich LÜTZELER zitieren, der der erste war, der es verstanden hat, mich für Cluny zu begeistern :

« Cluny ist auch Raum für drängende Prozessionen, begeistert flutende Massen. In der Tat haben die Cluniazenser viel für jene namenlosen Laien getan, die seit den Karolingern am Rande des sozialen Geschehens, lediglich als dunkle Folie herrschaftlichen Daseins, existierten. Sie fördern ihre Frömmigkeit in intensiver Seelsorge, durch Schulen und Unterricht, vor allem durch Pilgerzüge an berühmte Wallfahrtsorte : Santiago de Compostella in

Spanien, Jerusalem, St. Michael auf dem Monte Gargano in Unteritalien. Dem hier erstmalig gesammelten Volk wird in Gotik und Renaissance die Zukunft gehören.

Die soziale Leistung der Cluniazenser spiegelt sich in der Form von Cluny III : in der vielgestaltigen Bildung des riesigen Chores ist es die Gebetsstätte der das heilige Schauspiel darbietenden Mönche, in der wuchtigen Weltsicherheit seines turmreichen Außenbaues Verkörperung jener Durchdringung des Humanum und Divinum, das die gesamte romanische Epoche leidenschaftlich bejaht hat, in der Weite und Längenerstreckung, mit der Vorhalle und dem Kappelenkranz, der dem Herzeigen von Reliquien dient, Kirche der Pilger und Prozessionen, der religiös erstmalig in Bewegung geratenen Volksmassen ».

Werden die, sei es aus Neugier oder von der Touristik-Industrie ''in Bewegung geratenen Massen'', die sich jedes Jahr in breiten Strömen über die Überreste dieses bewußten Gartens der Glückseligkeit ergießen, von diesen Realitäten, und sei es nur flüchtig, überhaupt noch berührt ?

EIN STRAHLENDER KRANZ

Wie Cluny, gehört ein Besuch der Abteikirche St Philibert in TOURNUS zum Pflichtprogramm beim Besuch unserer Gegend.

Sie liegt ja wirklich nicht weit entfernt von Cluny ! Und sollte derjenige, der noch nicht in Tournus war, durch diese Zeilen dazu veranlaßt werden, so haben diese voll ihr Ziel erreicht.

St Philibert bietet eine Zusammenstellung aller Perioden der Romanik, von ihren Anfängen bis zur Blüte, vor allem aber alle Gewölbeformen, denen wir in dieser Epoche begegnen : Rundbogen, Spitzbogen, Kreuzgewölbe, Kuppel usw. Könnte man sich einen geeigneteren Ort erträumen, um eine Lektion Kunstgeschichte nicht nur zu erhalten, sondern zu er-fassen ?

Leider gehört Tournus zur Reihe der geschützten Jagdgebiete der Kunsthistoriker, die nie enden werden, über die zeitliche Abfolge seiner Entstehung zu debattieren. Aber verbleichen diese sterilen Streitereien nicht angesichts der begeisternden Fülle der Stätte ?

Macht, Strenge und Harmonie sind es, die auch dem nicht eingeweihten Besucher immer wieder ins Auge springen. Und diese Harmonie des Gesamtbaues ist um so erstaunlicher, wenn man bedenkt, daß er eigentlich nur eine buntgewürfelte Sammlung ist, zusammengetragen über mindestens drei Jahrhunderte, und das ohne Berücksichtigung der gotischen Seitenkapellen. Man ist hingerissen, beim Betreten des Hauptschiffes, lichtdurchflutet unter seinen Quertonnen, vor allem nach dem Durchschreiten der zwar düsteren, doch mächtigen Vorhalle wie beim Hinuntersteigen zur Krypta, die der Bartholomäus-Kapelle in PADERBORN so ähnlich sieht, sind wir doch direkt an der Grenze zum deutschen Imperium. Doch sollte der Besucher wissen, daß die Gewölbe dieser Kripta nicht das Ergebnis einer neuerlichen Restaurierung, der es an Mitteln fehlte, sind, sondern gerade beredte Zeugen der Konstruktionstechnik eines Gewölbes auf Lehrbögen, das aber normalerweise verputzt wurde ; es sind sogar noch einige Bretter bei der Entschalung an Ort und Stelle verblieben. Man darf halt nicht vergessen, daß die Römer den ''Beton'' erfunden haben...

Vor allem aber muß man hinaufsteigen zur Michaelskapelle, über der Vorhalle. Michael wacht am Zugang zu den heiligen Stätten, ist also immer wieder am Eingang von Kirchen zu finden. Dort oben entdeckt man eine eigene Kirche von perfekten Proportionen, aber auch die ersten zögernden Versuche der Bildhauerkunst in Burgund.

Leider sind, nach so viel Glanz, nur wenige Besucher neugierig genug, um die Kirche herumzugehen und die Chorpartie zu entdecken : den ältesten erhaltenen Chor mit Radialkapellen, diesen strahlenden Kranz !

Die Gegend von Tournus wurde schon Ende des 2. Jahrhunderts missioniert, von Sankt Valerian, aus der Gruppe der frühen Christen in Lyon (erste Märtyrer im Jahre 177). Die Krypta ist ihm noch heute geweiht. Über die erste Kirche und die erste Gemeinschaft, die am Ort des Martyriums von St Valerian entstanden, wissen wir nichts.

Im Jahre 875 kommen andere Mönche, die um das Jahr 830, infolge der Normanneneinfälle von Noirmoutier vertrieben wurden und seitdem durch die Lande irren, immer wieder auf der Flucht, um eine Zuflucht zu finden für den Leichman ihres verehrten Heiligen, des Gründers von Jumièges und anderer Klöster an der Atlantikküste, Sankt Philibert nach hier. König Karl der Kahle überweist ihnen das Kloster des heiligen Valerian, obwohl dessen Mönchsgemeinschaft noch besteht. Das Wort von der "Cohabitation" (Lebensgemeinschaft), das seit 1986 in Frankreich eine große Bedeutung gewonnen hat, trifft auf dieses gemeinsame Leben zweier Gemeinschaften zu, das übrigens nicht immer in voller Harmonie ablief. Die Flüchtlinge aus Noirmoutier müssen Tournus sogar noch einmal verlassen.

Jedoch werden die Mönche der beiden Gemeinschaften Ende des 10. Jahrhunderts wirklich Brüder, und von da ab wird das Leben in diesem Bollwerk des Glaubens praktisch nicht mehr gestört - mit Ausnahme eines Hugenotteneinfalles 1562, und das Narthex hat sicherlich niemals als Wehrturm gedient, wie manchmal behauptet wird.

Das wunderschöne Orgelgehäuse stammt aus dem Jahre 1692, doch verdeckt es leider die herrliche romanische ausgekargte Empore und den sogenannten Gerlannus-Bogen, der als Rahmen für die Liturgie der Karwoche diente.

OH TÄLER WEIT, OH HÖHEN

« Zu den Höhepunkten einer Burgundreise gehört die Fahrt von Tournus nach Cluny »
Klaus BUSSMANN

In der Tat sind die Straßen dieser Fahrt, denn man sollte nicht zögern und die ausgefahrenen und ausgeschilderten Wege verlassen, geradezu gesäumt von einer unglaublichen Vielzahl von romanischen Kirchen. Sie bieten eine außergewöhnliche Auswahl an Plänen, Räumen und Eindeckungen, unter Benutzung des jeweils am Ort vorgefundenen Baumaterials, grauer und gelber, bis hin zu goldgelbem Kalkstein. In vielen dieser bescheidenen Gotteshäuser bildet das handwerkliche Können der Maurer den einzigen Schmuck. Doch seit einigen Jahren entdeckt man in einigen von ihnen, verborgen hinter einer dicken Putzschicht, Wandmalereien, die der Stolz mancher Kathedralen sein könnten.

Hier sei nur der in jeder Beziehung einmalige jugendliche Christus in der Glorie, in GERMAGNY erwähnt, der erst 1983 freigelegt wurde. Andere Entdeckungen sind im Gange oder stehen bevor, so in BURNAND usw.

Doch müßte man sie alle erwähnen, diese rustikalen, aber niemals bäuerlichen Kirchen. Doch wäre dafür ein ganzes Lexikon nötig.

Daher kann ich den Leser nur zu einem Spiel einladen :

EIN SPIEL UM STEIN UND GLAUBEN

Machen wir uns also auf den Weg, auf Entdeckungsreise durch das Land um Cluny, durch ganz Südburgund, dieses Land der Kunst und der Lebenskunst denn hier ist wahres Leben.

Gehen wir ein auf dieses göttliche Spiel, im übertragenen wie im wörtlichen Sinne, dessen Regeln darin bestehen, kreuz und quer zu fahren auf den Straßen dieses Winkels von Frankreich, der von Gott und der Natur so begnadet wurde, von romanischer Kirche zu romanischer Kirche.

Doch es muß hinzugefügt werden, daß das gleiche Spiel ebenso möglich ist, indem man die Kirchen "ersetzt" durch Burgen, die Burgen durch Herrensitze, die Herrensitze durch Bauernhöfe und Winzerhäuser, diese durch Wegkreuze, die Kreuze durch Waschhäuser, die Waschhäuser durch... alles Schöne !

Zwar führt uns dieses Spiel nicht zu Kathedralen und Schlössern, aber ist es nicht gerade deswegen um so menschlicher, poetischer ?

Alle diese Wunder sind so vollkommen in die Gegend, die Dörfer, die Landschaften integriert, bilden mit den Umfriedungen der Wege, Wiesen und Weinberge eine solche Einheit, daß man sie kaum unterscheidet, vergißt, daß sie Menschenwerk sind.

Einer der schönsten Sätze des großen Kunsthistorikers, Henri FOCILLON, in seinem Buch ''Le Moyen Age Roman'', scheint geschrieben worden zu sein, als er unser kleines Fleckchen Erde vor seinen, und seien es nur die geistigen, Augen hatte :

« *EINIGE LÄNDLICHE GEGENDEN SIND WIE GESPICKT MIT MEISTERWERKEN* »

« Je donne et livre aux saints apôtres Pierre et Paul tout ce que je possède à Cluny, situé sur la rivière Grôsne..., fermes, oratoires, esclaves des deux sexes, vignes, champs, prés, forêts, eaux, cours d'eau, moulins, droits de passage, terres incultes ou cultivées, sans aucune réserve... Mais je donne sous la condition qu'un monastère régulier sera construit à Cluny, en l'honneur des apôtres Pierre et Paul »

Charte de donnation du 11.9.910

« I give everything I possess in Cluny, along the river Grôsne, to the holy apostles Peter and Paul : farms, oratories, slaves of both sexes, vineyards, fields, meadows, forests, ponds, streams, mills, rights of way, lands both worked and uncultivated, without reservation... But this is given on condition that a regular monastery is built in Cluny, in honour of the apostles Peter and Paul. »

Charter of donation, 11.9.910

« Ich gebe und überlasse den heiligen Aposteln Petrus und Paulus alles, was ich in Cluny, im Tal der Grôsne, besitze... Höfe, Kapellen, Diener beiden Geschlechts, Weinberge, Felder, Wiesen, Wälder, Seen, Wasserläufe, Mühlen, Mautrechte, bebautes und unbebautes Land, ohne jeden Vorbehalt... Aber ich gebe unter der Bedingung, daß in Cluny ein Ordens-Kloster gebaut wird, zu Ehren der Apostel Petrus und Paulus ».

Stiftungsurkunde vom 11.9.910

Claus Haverkamp

« *Entre tous les monastères fondés au delà des monts à la gloire du Dieu Tout-Puissant et des bienheureux apôtres Pierre et Paul, il en est un qui est le bien propre de Saint Pierre, et qui est uni à l'Eglise de Rome par un droit spécial : Cluny. Voué principalement, dès sa fondation, à l'honneur et à la défense du Siège apostolique, il est parvenu sous des saints abbés, par la grâce et la clémence divines, à une sainteté telle qu'il surpasse tous les moûtiers d'outre-monts dans le service de Dieu et la ferveur spirituelle. Nul autre ne l'égale, car il n'y a pas eu à Cluny un seul abbé qui n'ait été un saint.* »

GRÉGOIRE VII

« *Among all the monasteries founded beyond the mountains to the glory of God Almighty and the blessed Peter and Paul, there is one which belongs to St Peter alone and is united to the Church of Rome under a special law : Cluny. From its foundation, it was principally dedicated to the honour and the defense of the Apostolic Seet; under saintly Abbots, it reached, with divine grace and clemency, a holiness which was greater than in any of the trasalpine monasteries in the service of God and spiritual fervour. It has no equal, for in Cluny, there was not a single Abbot who was not a saint.*

GREGORY VII

« *Unter allen jenseits der Berge zur Ehre Gottes des Allmächtigen und der seligen Apostel Petrus und Paulus gegründeten Klöster, gibt es eines, das dem Stuhl Petri direkt untersteht und das an die Kirche von Rom durch ein besonderes Recht gebunden ist : Cluny. Seit seiner Gründung ganz besonders der Ehre und der Verteidigung des Heiligen Stuhles geweiht, hat es, unter heiligen Äbten und durch die Gnade und Güte Gottes, eine solche Heiligkeit erreicht, daß es alle Münster von jenseits der Berge im Dienst an Gott und geistigem Eifer weit übertrifft. Kein anderes kommt ihm gleich, denn es hat in Cluny nicht einen Abt gegeben, der nicht ein Heiliger gewesen wäre* »

GREGOR VII

Claus Haverkamp

Cette vue pourrait être comme un raccourci de l'ancienne métropole de la chrétienté : la tour de l'eau bénite dominait la porte par laquelle les moines entraient à l'église pour les offices, la tour de l'horloge rythmait les heures de leur vie, la Tour des Fromages assurait la défense et les cloches de Notre Dame des Panneaux (au premier plan) signalaient les joies et les deuils de la paroisse urbaine.

Notre Dame des Panneaux, appelée ainsi parce qu'on y déposait autrefois les étalons de mesure (celui des tuiles romaines rondes est toujours visibles dans le mur sud). Cette église est d'ailleurs, avec Notre Dame de Dijon, un des joyaux de l'art gothique en Bourgogne.

This view could almost be a history of the former See of Christendom. The "Tour de l'Eau Bénite" (The Holy Water Tower) overlooked the door through which the monks used to enter the church to attend the services. The "Tour de l'Horloge" (The Clock Tower) marked out the hours of their lives. The "Tour des Fromages" (The Cheese Tower) assured the defense and the bells of "Notre Dame des Panneaux", here in front, recorded the joys and sorrows of the urban parish.

This church was called "Notre Dame des Panneaux" (Our Lady of gauges), because in former times, the standards for measurement were kept there (the one for the round Roman tile can still be seen in the south wall). This church, together with "Notre Dame" in Dijon, is one of the jewels of Gothic art in Burgundy.

Dieses Bild ist wie eine perspektivische Verkürzung der ehemaligen Metropole der Christenheit : Der Weihwasserturm überragte die Pforte, durch die die Mönche die Kirche zu den Gottesdiensten betraten ; die Stundenschläge des Uhrturmes begleiteten sie durch den Tag ; der Käseturm diente der Verteidigung und die Glocken der Kirche Unserer Lieben Frau von den Tafeln (im Vordergrund) berichteten ihnen von Freud und Leid der Stadtpfarre.

Unsere Liebe Frau von den Tafeln, da früher hier die Eichmaße aufbewahrt wurden. Das Standardmaß für die römischen Rundpfannen ist übrigens noch immer, an der Wand des südlichen Seitenschiffes, zu sehen. Diese Kirche gehört, zusammen mit Unserer Lieben Frau in Dijon, zu den Juwelen burgundischer Gotik.

Claus Haverkamp

C'est par ces portes, œuvres du 12e siècle, mais qui rappellent tellement des portes romaines, que le visiteur entrait dans l'enceinte de l'abbaye. Il descendait, par cinq larges degrés circulaires, vers l'entrée du narthex.

It is through these doors, dating from the 12th century, but in a style which recalls those of the Roman period, that the visitor used to enter the precinct of the abbey. He descended to the entrance of the narthex via five large circular steps.

Durch diese Tore betrat der Besucher früher abteilichen Boden. Sie stammen aus dem 12. Jahrhundert, erinnern aber sehr stark an römische Tore. Über fünf Absätze stieg der Besucher dann, über eine breite Treppe, zur Vorhalle hinunter.

Raymond Dauvergne

Cette seule absidiole encore intacte dans son état d'origine était le chœur de la chapelle St Etienne. Est-ce dû au fait qu'il y eut tellement d'absidioles autrefois, que même le visiteur d'aujourd'hui ne la regarde que furtivement, ne se doutant pas que c'est à cet endroit précis que s'est trouvé le chœur de CLUNY I ?

The only apsidiole which remains in its original state, is the choir of the chaptel of St Stephen. There used to be so many apsidioles here, that it is no wonder that today's visitor pays so little attention to the one remained, not realizing that here once stood the chancel of CLUNY I.

Diese einzige im ursprünglichen Zustand erhaltene Chorkapelle war dem heiligen Stephanus geweiht. Ob es wohl daran liegt, daß es einmal eine Unzahl von Chorkapellen gegeben hat, daß auch der Besucher von heute sie nur eines flüchtigen Blickes würdigt, nicht ahnend, daß genau hier sich einmal der Chor von CLUNY I befunden hat ?

Raymond Dauvergne

Oeuvre du 18e siècle, le cloître actuel a été construit par Dom Dathoze, prieur claustral à partir de 1750. Il ouvre sur la cour par onze arcades de chaque côté et est, avec ces voûtes d'arêtes surbaissées, d'une remarquables beauté, tout comme les fers forgés des escaliers, œuvre du Frère Placide.

Dating from the 18th century, the present cloister was built by Dom Dathoze, Prior of the cloister from 1750. It opens onto a court yard through 11 arcades on each side. These flattened groined vaults are remarkably beautiful as is the wrought iron decoration of the staircase, the work of Brother Placide.

Der jetzige Kreuzgang, ein Werk des 18. Jahrhunderts, von Dom Dathoze, seit 1750 Prior des Klosters, erbaut, öffnet zum Innenhof hin in elf Bogenstellungen auf allen vier Seiten. Mit seinen abgeflachten Kreuzgewölben ist er von einer gewaltigen Schönheit, ganz wie die schmiedeeisernen Treppengeländer des Bruder Placide.

Claus Haverkamp

« C'est pour contempler son créateur que l'homme avait été créé. Cependant, lorsque la condition humaine eut cédé aux insinuations de l'ange apostat, lorsqu'elle perdit en nos premiers parents le lumineux éclat du royaume invisible, elle fut d'autant plus aveuglée qu'elle ne connaissait plus que des apparences. Elle avait perdu la céleste beauté. Mais Dieu ne voulut pas qu'elle pérît à jamais dans sa difformité. Il envoya son Fils pour nous réconcilier à Dieu le Père et réformer par sa présence cet homme qu'il avait formé par le pouvoir de sa divinité ».

sermon de Saint-ODILON

« Man was made in order to contemplate his Creator. However, when the human condition succombed to the insinuations of the apostate angel, when with our first parents, the bright light of the invisible kingdom was lost, it was all the more blinded, for then, it knew only appearances. It had lost celestial beauty. But God did not wish it to perish deformed. He sent His Son to reconcile us with God the Father and to reform by His presence, this man He had made by the power of His divinity.''

Sermon of abbot ODILON

« Der Mensch war geschaffen worden, um Gott zu schauen. Doch, nachdem die Menschheit den Versuchungen des abtrünningen Engels erlegen und, in unseren Ureltern, den strahlenden Glanz des unsichtbaren Reiches verloren hatte, war sie um so mehr geblendet, als sie nur noch den trügerischen Schein kannte. Sie hatte die himmlische Schönheit verloren. Doch Gott wollte nicht, daß sie auf immer in ihrer Unförmigkeit verloren ginge. Er sandte seinen Sohn, um uns mit Gott dem Vater wieder zu versöhnen und jenen Menschen, den er durch seine göttliche Allmacht gebildet hatte, durch dessen Anwesenheit, neu zu schaffen ».

Predigt des Abtes ODILO

Raymond Dauvergne

« *En cette naissance au monde, le royaume céleste et les choses de la terre exultent ensemble d'une jubilation spirituelle irrésistible. Je dis bien, le ciel et la terre exultent de l'avènement du Créateur, car à l'origine, nous le savons, Dieu forma deux espèces de créatures pour le connaître et chanter ses louanges, l'angélique et l'humaine. Comparées à leur créateur, ces créatures ne sont rien, bien sûr, mais elles surpassent singulièrement les autres en prestance et félicité, car elles ont mérité de louer et de connaître leur Créateur. Tout l'apparat du monde, autrement, ne chante pas la louange de Dieu par lui-même, mais bien par nous. A considérer cette ordonnance, nous en admirons la beauté, nous nous émerveillons de la sagesse de son artisan. La création contemplée nous élève à l'admiration du Créateur* ».*

sermon de Saint-ODILON

« *With this birth in the world, the Kingdom of Heaven and the things of the earth rejoice together in an irresistible spiritual jubilation. Let met stress, heaven and earth rejoice in the advent of the Creator, because we know that, in the beginning, God made two kinds of creatures : angel and man, in order to know Him and to sing His praises. Compared to their Creator, these creatures are nothing, of course, but they outshine singularly all others in appearance and happiness, for they have earned the right to praise and know their Creator. In other words, the world as a whole does not sing the praises of God by itself, but through us. When we contemplate this order, we admire its beauty and we marvel before the wisdom of its Artisan. Contemplating the creation, forces us to admire the Creator* ».*

Sermon of abbot ODILON

« *In dieser Geburt in der Welt stimmen die Dinge der Erde ein in den himmlischen Lobgesang, in ein unwiderstehliches geistiges Hosanna. Ja, ich sage, Himmel und Erde jauchzen vor der Ankunft des Schöpfers, denn, das wissen wir, am Anfang schuf Gott zwei Arten von Kreaturen, um ihn zu kennen und ihm Lobglieder zu singen, die Engel und die Menschen. Verglichen mit ihrem Schöpfer sind diese Kreaturen natürlich nichts, doch übertreffen sie die anderen weit an Stattlichkeit und Glückseligkeit, denn ihnen wurde zuteil, ihren Schöpfer zu loben und zu kennen. Alle andere Herrlichkeit der Welt singt Gott nicht aus sich selbst Lob, sondern eben durch uns. Beim Betrachten dieser Ordnung bewundern wir die Schönheit, sind wir voll Erstaunem über die Weisheit dessen, der sie geschaffen hat. Das Schauen der Schöpfung erhebt uns zur Bewunderung des Schöpfers* ».*

Predigt des Abtes ODILO

Claus Haverkamp

Parsemés dans la ville - et même dans les campagnes environnantes - on découvre des débris de l'ancienne abbaye. Mais si on pouvait gratter les maisons construites entre 1810 et 1830...!

One discovers fragments of the old abbey scattered throughout the city and even the surrounding countryside. If only one could scrape the surface of the houses built between 1810 and 1830... !

Über die Stadt zerstreut, ja sogar über das Land ringsum, endeckt man Überreste der ehemaligen Abtei.
Und wenn es möglich wäre in den Mauern der zwischen 1810 und 1830 erbauten Häuser auf Suche zu gehen... !

Claus Haverkamp

« *Cluny, il y a vingt ans à peine, était encore la ville de France relativement la plus riche en maisons du Moyen-Age. Des rues entières étaient restées les mêmes depuis sept ou huit cents ans. Les constructions des 11ᵉ et 12ᵉ siècles, avec leurs façades percées de petites fenêtres cintrées, ou de baies carrées à plates-bandes et à colonnettes sculptées, protégées par la grande saillie de leur toiture, subsistaient encore presque partout, et Cluny méritait alors d'être visité, autant pour ses curieuses maisons, que pour les restes de sa grande et célèbre Abbaye.*
Mais, depuis une vingtaine d'années, les Clunisois se sont fatigués d'une immobilité de sept siècles ».

A. PENJON, 1872 (!)

« *Barely twenty years ago, for its size, Cluny was still the richest city of France in terms of houses dating from the Middle Ages. Entire streets had remained the same for seven or eight hundred years. You could still see everywhere buildings from the 11th or 12th century : small arched windows pierced the facades, square bays with flat mouldings and carved colonettes were protected by overhanging roofs. At that time, Cluny deserved to be visited, both for its strange houses and for the remains of the great and famous abbey.*

But over the last twenty years, the people of Cluny have tired of an immobility which had lasted seven centuries ».

A. PENJON 1872 (!)

« *Noch vor knapp zwanzig Jahren war Cluny wohl noch die an mittelalterlichen Häusern reichste Stadt Frankreichs. Ganze Strassenzüge waren seit sieben - oder achthundert Jahren unverändert geblieben. Die Bauten aus dem 11. und 12. Jahrhundert, mit ihren kleinen Rundbogen - oder rechteckigen Fenstern, mit Sturzbögen und schmucken Säulchen, waren fast überall noch erhalten, geschützt unter den weit vorspringenden Dächern. Und Cluny war damals nicht nur wegen seiner großen und berühmten Abtei, sondern auch wegen seiner eigenartigen Häuser einen Besuch wert* ».

Doch seit etwa 20 Jahren sind die Einwohner von Cluny eines siebenhundertjährigen Imobilismusses überdrüssig.

A. PENJON 1872 (!)

Raymond Dauvergne

La mairie de Cluny occupe une partie de l'ancien Palais Abbatial, œuvre de Jacques d'Amboise (1485-1510). Une promenade dans son parc ouvre une des plus saisissantes vues sur la tour de l'eau bénite et sa petite sœur, la tour de l'horloge.

The townhall of Cluny is a part of the ancient palace of the abbot, the work of James of Amboise (1485-1510). A stroll in the park opens onto one of the most beautiful views of the Holy Water Tower and its little sister, the Clock Tower.

Das Rathaus von Cluny befindet sich in einem Teil des ehemaligen Abtsitzes, einem Werk des Jacques d'Amboise (1485-1510). Ein Spaziergang durch seinen Park eröffnet einen herrlichen Ausblick auf den Weihwasserturm und seinen kleinen Bruder, den Uhrturm.

Claus Haverkamp

Dans l'autre partie de l'ancien Palais Abbatial, construit par Jean de Bourbon (1456-1485) se trouve le MUSÉE OCHIER, où ont été rassemblés pieusement les débris de ce qui reste des milliers d'œuvres sculptées de l'abbaye. Une visite de Cluny sans passage au musée Ochier ne sera jamais complète.

The OCHIER MUSEUM occupies the other part of the ancient Palace of the abbot, built by John of Bourbon (1456-1485). There the remaining fragments of thousands of sculptures from the Abbey have been piously collected. A visit to Cluny would be incomplete without a tour of the Ochier museum.

Im anderen Teil des ehemaligen Abtsitzes, erbaut von Jean de Bourbon (1456-1485), ist heute das OCHIER MUSEUM untergebracht. Dort hat man sorgfältig die Reste der Abertausenden von Bildhauerarbeiten zusammengetragen, und ein Besuch in Cluny, ohne einen Abstecher ins Musée Ochier, ist wirklich nur eine halbe Sache.

Raymond Dauvergne

Quel beau site que celui de TOURNUS ! Aux bords de cette Saône, dont César déjà n'arrivait pas à savoir dans quel sens elle pouvait bien couler, devenue limite entre empire germanique et royaume de France, située exactement sur cette ligne idéale qui sépare le nord du sud de la France. Comment s'étonner qu'un tel chef d'œuvre n'ait pu naître qu'ici ?

What a beautiful site TOURNUS is ! Exactly on that imaginary line which separates the north from the south of France ; there it stands, on the banks of the Saône, the limit between the German Empire and the Kingdom of France and even Caesar himself was not sure in which direction it was flowing. Why be surprised that such a work of art was born here ?

Könnte man sich eine schönere Lage erdenken, als die von TOURNUS ? Gelegen am Ufer der Saône, von der schon Caesar nicht wußte, in welche Richtung sie nun fließt, die zur Grenze wurde zwischen dem deutschen Kaiser- und dem französischen Königreich, verläuft hier auch genau jene ideale Linie, die den Norden vom Süden Frankreichs trennt. Wen kann es da wundern, daß ein solches Meisterwerk gerade hier entstanden ist ?

Claus Haverkamp

Domaine mystérieux, s'il en fut, la crypte est l'endroit où l'on sent instinctivement que l'architecture sacrée n'a pas de sens qu'en tant que symbole. Dans cette aire, où le pélerin cherche un contact direct avec l'autre monde, par l'intercession des saints qu'il vénère et, portée par les airs grégoriens des moines, la pierre devient prière.

It is in the crypt, a mysterious domain, where one feels instinctively that the meaning of sacred architecture is only symbolic. Here, where the pilgrim seeks a direct contact with the other world, through the intercession of the saints he worships, uplifted by the Gregorian chants of the monks, the very stone becomes a prayer.

Geheimnisvolle Stätte unter allen, ist die Krypta der Ort, an dem man instinktiv begreift, daß sakrale Architektur nur als Symbol Sinn-voll ist. An diesem Ort, wo der Pilger, durch die Vermittlung des verehrten Heiligen, den direkten Kontakt mit dem Jenseits sucht, wird, getragen von den gregorianischen Gesängen der Mönche, der Stein zum Gebet.

Raymond Dauvergne

Centre de toute vie monacale, le cloître est à la fois mémorial de la Jérusalem historique et la préfiguration de la Jérusalem céleste, véritable anticipation en ce monde du royaume de Dieu.

Centre of all monastic life, the cloister is at the same time a shrine to ancient Jerusalem and a sign of the celestial Jerusalem to come. A preview in this world of the kingdom of God.

Zentrum allen monastischen Lebens ist der Kreuzgang zur gleichen Zeit Erinnerungsstätte an das historische Jerusalem, wie Vorgeschmack auf das himmlische, wahrhafte Vorwegnahme, inmitten dieser Welt, des Reiches Gottes.

Raymond. Dauvergne

L'église du bourg fortifié, au sommet de l'ancien castrum romain, Ste Madeleine et son joli porche, sont malheureusement trop souvent négligés par le visiteur de passage.

Unfortunately, the casual visitor too often fails to notice the church of St Madeleine and its pretty porch in the fortified village at the top of the former roman castrum.

Die Kirche der befestigten Stadt, am höchsten Ort des römischen Castrum gelegen, Sankt Madgalena, wird, wie ihre schöne Eingangspforte, nur zu oft von den Besuchern vernachlässigt.

Claus Haverkamp

NOTRE DAME LA BRUNE

« *Il n'en va pas autrement des grandes choses car, de ce qu'elle soit devenue la mère de Dieu, dans quelle œuvre lui sont donnés autant de grands biens, que personne ne puisse les concevoir, procède tout l'honneur, toute béatitude et qu'elle fût une personne unique dans toute l'humanité, au dessus de tous... On a donc saisi, en un seul mot, tout son honneur, si on l'appelle Mère de Dieu, et jamais personne ne pourra dire plus ni à elle ni d'elle* ».

Martin LUTHER

OUR DARK LADY

« *This is how important events happen, for when she became the mother of God, a privilege from which stemmed such rewards as to be beyond our imagination, she became the source of all honour, of all bliss and thus was unique among humankind : above all... call her mother of God, in a word, you have understood her honour and no more could be said either to her or about her.* »

Martin LUTHER

UNSERE LIEBE DUNKLE FRAU

« *Die großen Dinge sind nicht anders, denn daß sie Gottes Mutter ist worden, in welchem Werk so viele und große Güter ihr gegeben sind, daß sie niemand begreifen mag, denn daraus folget alle Ehre, alle Seligkeit, und daß sie im ganzen menschlichen Geschlecht eine einzigartige Person ist über alle... Darum in einem Wort hat man alle ihre Ehre begriffen, so man sie Gottes Mutter nennt, kann niemand größeres von ihr noch zu ihr sagen* ».

Martin LUTHER

Claus Haverkamp

La petite ville de Tournus est une des plus charmantes de Bourgogne. Les vieilles maisons et témoins du passé sont innombrables dans ses nombreuses ruelles. Il est donc vivement conseillé d'y flâner, surtout parce qu'on y respire déjà comme un air du midi, sauf en hiver, bien entendu. Mais pourquoi chercher le midi au 46e degré nord ?

The small town of Tournus is one of the most charming in Burgundy. Innumerable old houses and witnesses to the past can be found in its various alleys. Go for a stroll there : the air is like that of the south of France, except in winter of course. But after all, why look for the south when one is at 46° north ?

Das Städchen Tournus gehört zu den charmantesten Burgunds. Die alten Häuser und Zeugen der Vergangenheit sind ohne Zahl in ihren vielen Gassen. Ein Bummel durch die Stadt ist also sehr zu empfehlen, vor allem, da hier schon ein Hauch Süden weht. Mit Ausnahme im Winter natürlich, aber wer sucht schon Südfrüchte in Burgund ?

Claus Haverkamp

Il existe au moins une église romane, que tous les voyageurs qui, dans leurs voitures, se ruent vers le Midi, connaissent : ST-MARTIN-DE-LAIVES. Elle domine l'autoroute comme un phare qui veillerait sur elle. Par contre le cercle de ceux qui sont montés l'admirer de près est des plus restreints. Tant pis pour tous les autres !

At least one Romanesque church is known to all those travellers who rush to the south of France by car : ST MARTIN DE LAIVES. It overlooks the motorway, like a guardian lighthouse. But the number of people who actually decide to climb and admire it is extremely small ! I feel sorry for the ones who do not !

Es gibt zumindest eine romanische Kirche, die alle Reisenden, die im Auto gen Süden eilen, kennen : ST MARTIN DE LAIVES. Sie beherrscht die Autobahn wie ein über sie wachender Leuchtturm. Hingegen ist der Kreis derer, die zu ihr hinaufgestiegen sind, um sie aus der Nähe zu bewundern, mehr als klein. Die anderen sind es selber schuld.

Claus Haverkamp

Depuis que l'autoroute, cette bande terrorisante d'asphalte, passe au ras de ST-JULIEN-DE-SENNECEY, l'endroit est envahi de bruit, mais déserté des hommes. Et sa secrète beauté est réservée aux vrais amateurs, alors que les spécialistes donneraient gros pour résoudre l'épineux problème, à savoir si ce Charles, que cite un cartulaire du 9e siècle, a été le Gros ou bien le Chauve.

Since the time the motorway, that terrorizing strip of asphalt, was passed next to ST JULIEN DE SENNECEY, the place has been invaded by noise but deserted by man. Its secret beauty is now left to the real art enthusiast while the specialist would give anything ro resolve the mystery : is this Charles, quoted in a ninth century chartulary, the "Fat" or the "Bald" ?

Seit die Autobahn ihre asphaltierten Terror-Bande dicht an ihr vorbei zieht, ist ST JULIEN DE SENNECEY zwar vom Lärm überflutet, von den Menschen jedoch verlassen. Und ihre geheime Schönheit bleibt den echten Liebhabern vorbehalten, so wie die Experten noch dicke Bücher schreiben werden über das haarige Problem, ob nun der, in einem Kopialbuch des 9. Jahrhunderts erwähnte, Karl der Dicke oder wohl doch der Kahle war.

Claus Haverkamp

L'on ne saurait comprendre la naissance et l'éclat de l'art roman sans se référer à l'établissement de la féodalité. Face à l'impossibilité de commander de loin, l'éparpillement féodal répond à la nature d'un monde rural refermé sur lui et délimité par d'innombrables cloisons. Ainsi s'explique cette multitude de châteaux dominant des pâturages, comme celui d'OZENAY.

The only way to understand the birth and the radiance of Romanesque art is to refer to the beginnings of the feudal system. As it was impossible to control anything from a distance, the fragmentation of the feudal system corresponded to the nature of the rural world which was inward-looking and segmented. This explains the numerous castles overlooking the pastureland, like that of OZENAY.

Man wird die Entstehung und die volle Entfaltung der romanischen Kunst nicht verstehen, wenn man das Aufkommen der Feudalgesellschaft unberücksichtigt läßt. Angesichts der Tatsache, daß es unmöglich war, aus der Ferne zu regieren, war die breite Streuung der kleinen Feudalherren eine Antwort für die bäuerliche Welt, die abgekapselt und umgeben von unzähligen Schranken lebte. Das erklärt die Vielzahl der Burgen, die inmitten von Wiesen und Weiden thronen, wie OZENAY.

Claus Haverkamp

BRANCION, perché sur son éperon rocheux, est l'un des sites les plus remarquables - et remarqués - de la Bourgogne du Sud. Les Gros ont régné ici en implaccables maîtres, jusqu'à ce que leur dernier, Josserand VI mourût lors d'une croisade. On y admire les vestiges du château, les halles de l'ancien marché et son église, qui respire la sobriété cistercienne. La porte d'entrée était commune au château et au bourg.

BRANCION, perched on a rocky spur, is one of the most remarkable and remarked upon sites in Burgundy. The "Gros dynasty" reigned here as implacable masters until the last of the line, Josserand VI, died during one of the crusades. In Brancion, you can admire the ruins of the castle, the old covered market, and the church which breathes Cistercian restraint. The castle and the village had a common entrance.

Hoch über dem Tale, auf einem Felsvorsprung gelegen, gehört BRANCION zu den bemerkenswertesten - und bemerktesten - Orten in Südburgund. Die Familie Gros hat hier mit eiserner Hand regiert, bevor ihr letzter Sproß, Josserand VI., auf einem Kreuzzug starb. Hier kann man die Überreste der Burg, die überdachte Markthalle und die Kirche bewundern, die ganz die Nüchternheit der Zisterzienser atmet. Burg und Ort teilten sich das Eingangstor.

Raymond Dauvergne

Quel panorama inoubliable, que celui qui s'ouvre au pied de l'église de BRANCION ! On comprend que la légende ait choisi cet endroit pour y situer la tentation du Christ : de passage ici, le diable lui montra deux grandes pierres (des menhirs) : « *Lançons chacun notre pierre. Les âmes du pays sreont à celui qui lancera la sienne le plus loin* ». Hélas, la foi n'étant pas le point fort des gens de la région, c'est Satan qui gagna son pari... Mais c'est la pierre de Nobles, celle du Christ, qui reste toujours debout.

The panorama from the church of BRANCION is truly unforgettable ! One can understand why this site is associated in legend with the temptation of Christ : when passing through here, the devil showed Him two huge stones (Menhirs) : « *Let each of us throw a stone. The souls here will belong to the one who throws the furthest* ». Unfortunately, faith not being the strong point of the people of the region, Satan won the bet. But it is the stone of Nobles, belonging to Christ, which still stands.

Welch unvergeßliches Panorama tut sich zu Füssen der Kirche von BRANCION auf ! Man kann verstehen, daß die Legende hier die Versuchung Christi ansiedelt : Als dieser einmal hier vorbeikam, zeigte der Teufel ihm zwei große Steine (Menhire) : « *Werfen wir jeder einen Stein. Die Seelen dieses Landes sollen dem gehören, der seinen Stein am weitesten wirft* ». Doch ach, da der Glaube nicht gerade eine der Stärken der Menschen dieser Gegend war, gewann Satan seine Wette... Doch ist es der Stein Christi der "Stein von Nobles", der noch immer steht.

Claus Haverkamp

Les mots manquent pour dire la grandeur et la splendeur de l'église de CHAPAIZE, de son clocher en forme de tronc pyramidal, d'une hardiesse insoupçonnée. Bienheureux ceux qui admirent en paix !

I cannot find words to describe the grandeur and splendeur of the church of CHAPAIZE : its steeple like some lofty pyramid : an amazing boldness in its design.

Blessed are those who admire in peace !

Es ist unmöglich, die Größe und den Glanz der Kirche von CHAPAIZE und die unglaubliche Kühnheit ihres, sich nach oben verjüngenden, Turmes in Worte zu fassen. Selig sind die, die im Frieden schauen !

Claus Haverkamp

De l'église du collège des Chanoinesses de LANCHARRE, qui vivaient certes en religieuses, mais avaient droit chacune à une maisonnette et une servante, il ne reste que le transept et le chevet. Le bras gauche du transept est d'ailleurs la travée du chœur d'une première église, ce qui explique que le clocher soit "mal placé".

Of the college church of the canonesses of LANCHARRE (who, although living like nuns, had each the right to a cottage and a servant) only the transept and the apse still remain. In fact, the left arm of the transept is the crossing of a former church, which explains why the steeple is "badly placed".

Von der Kirche des ehemaligen Stiftes der Damen von LAN-CHARRE, die hier zwar nach monastischen Regeln, aber mit dem Anrecht auf ein kleines Häuschen und eine Dienerin für jede von ihnen, lebten, stehen nur noch das Querschiff und die Chorpartie. Der linke Arm des Querschiffes ist übrigens die ehemalige Vierung der ersten Kirche, was erklärt, daß der Turm "verkehrt steht".

Raymond Dauvergne

Comment expliquer la présence de pierres tombales de chevaliers dans un collège de moniales ? On n'élucidera certes jamais ce mystère, ma foi.

Chanterai por mon coraige
Que je vuil reconforter.
Qu'aveques mon grand domaige
Ne quier morir n'afoler.
Quant de la terre sauvage
Ne voi mais nul retorner,
Ou cil eest qui rassoaige
Mes maus quant j'en oi parler.

Dex, quant crieront :
« Outrée », Sire, aidiez au pelerin
Por cui sui espoantée,
Car felon sunt Sarrazin !

De ce fui en bone entente
Quant je son homaige pris.
Quant l'aleinne douce vante
Qui vient dou tres douz païs
Ou cil est qui m'atalante,
Volentiers i tor mon vis ;
Lors m'estuet que je la sente
Par desoz mon mantel gris.
Dex,...

GUIOT DE DIJON 1230

How can one explain the presence of knights' tombstones in a nunnery ?

Was the Mystery-play a passion-play ?

Wie kann man erklären, daß sich in einem Frauenkloster die Grabsteine von Rittern befinden ? Dieses Geheimnis des Glaubens-Lebens wird man wohl nie lüften.

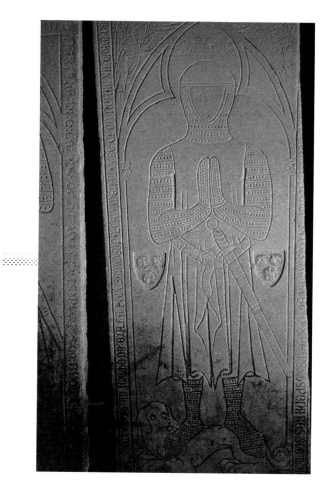

Raymond Dauvergne

LE PULEY porte bien son nom, car ce "Puellare" nous indique, qu'il y eut ici autrefois un prieuré de moniales. Ces puellae dépendaient du collège de Lancharre, et sur une demande de la prieure du lieu, qui indiquait que « *les maisons et bastiments dudit prieuré estaient ruinés tellement qu'elle ne pouvait y faire sa résidence, moins faire réédifier ilceux* », les dernières moniales regagnaient la maison mère en 1615.

LE PULEY is the right word for this place. "Puellare" indicates that in former times, there was a nunnery here. These puellae were dependent upon the college of Lancharre, and upon the instruction of the prioress, the last nuns returned to the mother house in 1615, for, as she said *"The houses and buildings of the priory were so dilapidated, that she could not live there, even less rebuild them »*.

LE PULEY trägt seinen Namen zurecht, denn dieses "Puellare" lehrt uns, daß hier einmal ein Priorat von Schwestern gestanden hat. Diese puellae gehörtem zum Damenstift in Lancharre. Auf Bitte der Priorin des Ortes, die berichtet, daß « *die Häuser und Bauten des genannten Priorats in derart miserablem Zustand sind, daß sie hier nicht Wohnung nehmen könne, und noch weniger jedselbe neu erbauen lassen* », zogen die letzten Schwestern 1615 ins Mutterhaus um.

Claus Haverkamp

Depuis le départ des dernières moniales en 1615, l'église du Puley fut négligée. En 1877 le conseil municipal s'apprêtait à démolir le clocher, quand celui-ci décida de tomber tout seul. Quel gain pour les finances de la commune !
Mais c'est essentiellement parce qu'elle est en ruine, que cette église nous permet d'admirer le savoir faire des maçons du 12e siècle, qui atteint ici des sommets inégalables.

From the moment the last nuns left in 1615, the church of Le Puley was neglected. In 1877, the parish council was about to demolish the steeple, when it fell down by itself. So much the better for the parish finances !

In fact, mainly because it is in ruins, this church allows us to admire the techniques of the twelfth century masons, which here attain incomparable heights.

Seitdem die letzten Schwertern Le Puley 1615 verlassen hatten, wurde die Kirche völlig vernachlässigt. 1877 beschloß der Gemeinderat, den Kirchturm abzubrechen, da sackte dieser von selbst in sich zusammen. Welch ein Gewinn für den Gemeindesäckel ! Aber der Tatsache, daß sie nur noch als Ruine steht, verdanken wir es auch, daß man an ihr, wie nirgends sonst, das Können der Maurer des 12. Jahrhunderts bewundern kann, das hier einen unüberbietbaren Höhepunkt erreicht.

Claus Haverkamp

C'est au lieu dit LES VOLANS, sur la commune de Genouilly que se trouve aujourd'hui la croix de VERNOBLE, petit manoir qui appartenait au poète Guillaume des Autelz, ami et lointain cousin de Pontus de Tyard. La croix portant l'inscription VERNOBLE, est datée de 1662.

Guillaume des Autelz est né au Puley, comme il l'indique dans le 19e sonnet de son "Amoureux Repos" :

Mais quand l'instinct des Muses tel j'auroys
Que j'ay d'amour, mon Puley, tu feroys
Taire Lyon, Aresse, Andes, Athenes

The cross of VERNOBLE is now in the commune of Genouilly, at a place called "LES VOLANS". It was a small manor house which belonged to the poet Guillaume des Autelz, who was a friend and distant cousin of Pontus de Tyard. The cross bearing the inscription VERNOBLE dates from 1662.

Guillaume des Autelz was born in Le Puley, as he mentions in the 19th sonnet of his "Amoureux Repos".

Am Ort mit dem Flurnamen LES VOLANS, in der Gemeinde Genouilly, steht heute das Wegekreuz von VERNOBLE, dem Herrensitz des Dichters Guillaume des Autelz, Freund und Vetter in dritter Linie von Pontus de Tyard. Das Kreuz trägt die Inschrift VERNOBLE und das Datum 1662. Guillaume des Autelz wurde in Le Puley geboren, wie er es selber im 19. Sonnett seines "Amoureux Repos" angibt.

Claus Haverkamp

Ce charmant village, qui se groupe autour de son église au bord de la Guye est inconnu des foules. Mais si l'évêque de Mâcon Hildebald ne l'avait pas échangé contre Cluny en 825...

C'est peut-être à cause de cette gloire manquée que les 430 habitants de Genouilly débordent aujourd'hui encore de vitalité.

This charming village, surrounding its church on the banks of the Guye, is unknown to the crowds. But if the bishop of Mâcon, Hildebald, had not exchanged it for Cluny in 825...

If the 430 inhabitants of GENOUILLY are today so lively, it is maybe because fame and glory have passed them by.

Kennen Sie dieses charmante Dorf, das sich, am Ufer der Guye, um seine Kirche schart ? Natürlich nicht ! Aber hätte es der Bischof von Mâcon, Hildebald, im Jahre 825 nicht gegen Cluny ausgetauscht...

Ist es wohl dieser verspaßte Ruhm, der aus den nur 430 Einwohnern von GENOUILLY heute solch dynamische Menschen macht ?

Claus Haverkamp

N'y a-t-il pas, entre ces clôtures érigées avec la patience longue mais ferme de nos ancêtres, entre ces maisons, manoirs et églises de nos campagnes, comme un air de famille ?

Look at those fences, at the houses, manors and churches of our country-side, erected patiently by our ancestors to stand forever. Is there not a family resemblance ?

Bestehen nicht zwischen diesen Einfriedungen, die unsere Vorfahren mit viel Geduld und Zielstrebigkeit errichtet haben, den Häusern, Burgen und Kirchen in unserem Lande verwandschaftliche Züge ?

Claus Haverkamp

« *Et alors apparaîtra dans le ciel le signe du Fils de l'homme ; et l'on verra le Fils de l'homme venir sur les nuées du ciel avec puissance et grande gloire* », *(Math. 24, 30-31)*. Cette extraordinaire peinture, découverte en 1983 à GERMAGNY est l'image et à l'image de la spiritualité de Cluny ; à travers Odilon, qui était un grand admirateur de ce Jésus âgé de 12 ans (Hugh TALBOT), nous retrouvons la tradition impériale du Christ imberbe.

"And then shall appear the sign of the Son of man in heaven ; and they shall see the son of man coming in the clouds of heaven with power and great glory (Math. 24, 30-31). Discovered in 1983 in GERMAGNY, this extraordinary painting is the image and the reflection of the spirituality of Cluny ; through Odilon who was a firm admirer of this 12 years old Jesus, we rediscover the imperial tradition of the beardless Christ.

« *Und dann wird das Zeichen des Menschensohnes am Himmel erscheinen ; und sie werden den Menschensohn auf den Wolken des Himmels kommen sehen mit großer Macht und Herrlichkeit* ». *(Math. 24, 30-31).*
Diese außergewöhnliche Wandmarelei wurde 1983 in der Kirche von GERMAGNY freigelegt. Sie ist Bild und Abbild der Spiritualität von Cluny ; über Odilo, der ein großer Verehrer des zwölfjährigen Jesus war (Hugh TALBOT), stoßen wir auf die kaiserliche Tradition des bartlosen Christus.

Claus Haverkamp

C'est à BISSY-SUR-FLEY, haut lieu de la littérature du 16e siècle, qu'est né l'évêque-poète Pontus de Tyard, membre de la Pléïade. Les murs du château, qui se désagrègent malheureusement de plus en plus, résonnent encore des poèmes et des chants de Maurice Scève, Ronsard, du Bellay, etc., qui se sont donnés rendez-vous ici.

Ruisseau d'argent, qui de source inconneüe
Viens escouler ton beau cristal ici
En arrosant aux pieds de mon Bissy
Le roc vestu, et la camapgne nuë.

Pour la pensée en mon cœur survenue,
Quand près de toi je fondois mon souci
Je te viens rendre éternel grand merci,
Couché auprès de ta rive chenue.

Un vert émail d'une ceinture large
T'enjaspera et l'une et l'autre marge
Puis j'escrira ces vers sus un Porhire :

Loin, loin, pasteurs, si profanes vous estes
Car les neuf sœurs, en faveur des poètes
M'ont consacré le Maconnois Baphire.

Pontus de Tyard
« Erreures amoureuses »

It was at BISSY SUR FLEY, the influential centre of literature in the 16th century that the bishop-poet and member of the Pleiad, Pontus de Tyard was born. The walls of the castle, which unfortunately are falling into ruin, echo the poems and songs of Maurice Sceve, Ronsard, du Bellay...

In BISSY-SUR-FLEY, einer literarischen Hochburg des 16. Jahrhunderts, wurde der Bischof und Dichter Pontus de Tyard, ein Mitglied der Pléïade, geboren. Die Mauern des Schlosses, das leider immer mehr zusammenfällt, sind noch durchdrungen von den Gedichten und Gesängen der Maurice Scève, Ronsard, Du Bellay usw., die sich hier ein Stelldichein gaben.

Claus Haverkamp

Parmi les acteurs sociaux de l'Ancienne France, l'un des plus importants a certainement été le curé de campagne. Il est l'officier d'état civil, le surveillant légal des nourrices, nombreuses avant la révolution, et très souvent l'instituteur. Il vit à peu près convenablement et sans grandes relations avec le monde ecclésiastique et laïque.
Cette ancienne cure à BURZY est un reflet de cette réalité, tout comme elle-même se reflète dans son vivier.

Among the most important figures on the social scene of ancient France, was the country priest. He was at the same time registrar, legal supervisor of the nurses (numerous before the Revolution) and very often school master. He lived relatively comfortably but without any close contact with the ecclesiastical or the secular worlds.

In BURZY, the ancient presbytery is a reflection of this reality, it-self reflected in its pond.

Einer der wichtigsten uner den sozialen Akteuren des Alten Frankreich war sicherlich der Landpfarrer. Er war Standesbeamter, de jure mit der Überwachung der, vor der französischen Revolution noch sehr zahlreichen, Ammen beauftragt und oft Dorflehrer. Er lebte in einigermaßen annehmbaren Verhältnissen und weit ab von der Welt des hohen Klerus oder der Politik.
Das ehemalige Pfarrhaus von BURZY ist wie ein Spiegelbild dieser Realitäten, ganz so, wie es sich selbst in seinem Fischteich widerspiegelt.

Claus Haverkamp

« Il y avait dans la contrée des bergers qui vivaient aux champs et qui la nuit veillaient tour à tour à la garde de leur troupeau »
LUC 2,8

Pendant des siècles les bergers ont continué à vivre près de leur troupeau. Chez nous ils se sont construits des petits abris, tous montés en pierres sèches et voûtés, les CADOLES. Aujourd'hui, ils ont rejoint leur villages et la ville, et il n'y a même plus de bergers. Est-ce que pour autant on leur, on nous annonce encore ''une grande joie'' ?

« And there were in the same country shepherds abiding in the field, keeping watch over their flock by night » **(Luc 2,8).**

For centuries, shepherds continued to live near their flocks. Here they built small vaulted, dry-stone shelters called ''CADOLES''. They have returned to their villages and towns. Today, the shepherds have gone ; but are we still told of ''a great joy'' to come ?

« Und in jener Gegend waren Hirten auf dem Felde, die hielten Nachtwache bei ihrer Herde ». **LUK 2,8**

Jahrhunderte lang haben die Hirten bei ihrer Herde gelebt. In unserer Gegend haben sie sich Unterschlüpfe gebaut, aus rohen Steinen errichtet und gewölbt ; man nennt sie CADOLES. Heute sind die Hirten in die Dörfer, ja in die Stadt gezogen, und eigentlich gibt es gar keine Hirten mehr. Ob ihnen, ob uns aber deswegen noch immer ''eine große Freude'' verkündet wird ?

Claus Haverkamp

Qui de nous n'a pas rêvé d'une vie de château ? Mais il est devenu hors de prix d'entretenir ces demeures, et la plupart restent inhabitées, car inhabitables (du moins en hiver). Restons donc chez nous, bien au chaud, et continuons à admirer ces châteaux de rêve du fond du cœur et des yeux... et refermons la porte de notre petit chez nous. N'est-ce pas par la porte étroite qu'on rentre au paradis ?

Who has not dreamed of living in a castle ? But nowadays they cost too much to maintain and most of them stay empty (at least in winter). Let us curl up in our own homes, and admire at a distance these dream castles in our hearts and eyes... And let us shut the gate to our small home. For, is it not through a narrow gate that one enters paradise ?

Wer von uns hat nicht schon einmal von einem Leben auf dem Schloß geträumt ? Aber es ist heute, im wörtlichsten Sinne des Wortes, unbezahlbar geworden, solche Bleiben zu unterhalten ; die meisten von ihnen stehen leer, zumindest im Winter, da dort alles Leben vor Kälte erstarrt. Bleiben wir also im trauten Heim und bewundern die Traumschlösser auch weiterhin mit dem Herzen und den Augen... und schließen wir die Tür unseres kleinen Zuhause. Führt der Weg ins Paradies nicht durch die enge Pforte ?

Claus Haverkamp

Les touristes et voyageurs ont de tous les temps eu envie de laisser une trace de leur passage sur des lieux célèbres. Ainsi - fort malheureusement - les murs de beaucoup de monuments historiques sont noircis de graffiti.
Voici une de ces inscriptions. Mais celle-ci est devenue elle-même une "pièce historique", car elle nous relate comment en 1562, les protestants ont pillé et saccagé l'humble église de BESANCEUIL.

Tourists and travellers have always wanted to leave a sign to mark their visit to famous places. That is why, unfortunately, the walls of many an ancient monument are blackened with graffiti.

Here is one of them, but this one itself is part of history for it tells us how in 1562, the Protestants looted and ransacked the humble church of BESANCEUIL.

Seit jeher hatten die Touristen und Reisenden den Wunsch, an den Orten, die sie bereist hatten, eine Spur ihres Besuches zu hinterlassen. So kommt es, daß viele geschichtliche Stätten - leider - vollgekritzelt sind. Hier sehen wie eine dieser Kritzeleien. Doch ist sie selber zum "historischen Denkmal" geworden, denn sie berichtet, wie die Protestanten im Jahre 1562 das bescheidene Kirchlein von BESANCEUIL geplündert und verwüstet haben.

Claus Haverkamp

« Nous avions jadis établi que l'obédience de SAINT-HIPPOLYTE fournirait le repas à la fête de la Chaire de Saint Pierre, jour de notre consécration, et au jour de notre anniversaire, après notre mort. Mais puisque nous venons de prendre une autre disposition, nous voulons que Saint-Hippolyte continue de fournir à la fête de la Chaire de Saint Pierre seulement »

Testament de Saint HUGUES

Phare blanc, visible de loin dans les environs pendant la journée, féérie des illuminations nocturnes, tout cela n'est rien comparé à la lumière à laquelle se préparait Saint Hugues.

« We had formerly agreed that SAINT HIPPOLYTE was to provide the meal at the celebration of the Chair of St. Peter, the day of our consecration as well as on the day of our anniversary, after our death. But since we have now made other arrangements, we should like St. Hippolyte to continue to make provisions only for the celebration of the Chair of St Peter ».

Testament of Saint HUGH

A lighthouse, visible from far during the day, magic lanterns in the dark of night, are nothing when compared to the light for which St. Hugh prepared himself.

« Wir hatten ehedem bestimmt, daß die Obedienz von SAINT-HIPPOLYTE das Festmahl am Tage der Feier des Heiligen Stuhles besorge, dem Tage unserer Weihe und, nach unserem Tode, am Tage unserer Geburt. Aber da wir soeben eine andere Entscheidung getroffen haben, wollen wir, daß Saint-Hippolyte fürderhin nur noch am Tage der Feier des Heiligen Stuhles besorge ».

Testament des heiligen HUGO

Weißer Leuchtturm, am Tage weithin im Umkreis sichtbar, zauberhaftes Spiel der nächtlichen Beleuchtung, was ist das alles verglichen mit dem Licht, auf das Hugo sich vorbereitete ?

Jean-Pierre Large

SAINT-HIPPOLYTE est l'une des deux dépendances de Cluny que Saint Hugues nomme spécialement dans son testament. Il devait donc les aimer tout particulièrement. C'est probablement pour cela que même ruinée, l'église, fortifiée ultérieurement, est toute harmonie.

SAINT-HIPPOLYTE is one of the two dependencies that St. Hugh mentions specially in his testament. He must have loved them very dearly and it is probably why, even in ruins, the church (which was later fortified) is so harmonious.

SAINT-HIPPOLYTE gehört zu den beiden Besitztümern von Cluny, die Hugo namentlich erwähnt. Er muß sie also besonders geschätzt haben. Das erklärt sicherlich, daß selbst die Ruine der später befestigten Kirche reine Harmonie ist.

Claus Haverkamp

Perchée tout en haut de la colline, toute seule, l'église de SAINT-QUENTIN a été construite en pierre granitique. Tout le site, d'ailleurs classé, et comme semé de blocs de granit. Le chœur lui-même repose sur un de ces gros blocs, signe que l'église a remplacé un lieu de culte païen, tout comme l'est la source toute proche de l'Aigrin aux vertus fébrifuges. Le vaste panorama qui s'ouvre tout autour vaut largement celui de Brancion...

Perched on top of a hill, all alone, the church of St. QUENTIN was built out of granite. The whole site, in fact classed as an ancient monument, seems strewn with blocks of granite. The chancel itself has been built on one of the huge blocks, a sign that this church replaces a pagan place of worship. Like the nearby Aigrin spring which has antifebrile properties. The vast panorama is certainly as beautiful as that of Brancion...

Die Kirche von SAINT-QUENTIN, die einsam hoch oben auf dem Berge trohnt, ist ganz aus Granitgestein erbaut. Und im weiten Umkreis um sie herum liegen gewaltige Granitblöcke zerstreut. Das ganze Plateau steht übrigens unter Denkmalschutz. Auch der Chor ruht auf einem dieser Granitblöcke auf, ein Zeichen, daß die Kirche eine ehemalige heidnische Kultstätte ersetzt hat, was auch die, ganz in der Nähe gelegene Quelle des Aigrin, mit ihrem fiebersenkenden Wasser, zeigt. Der Rundblick, den man von hier genießt, ist mindestens ebenso schön wie das Panorama von Brancion...

Raymond Dauvergne

Cette chapelle n'est pas plus romane, que St-Berthaud vénéré ici n'a été canonisé. Mais cela n'a pas empêché les masses d'affluer, et son gisant est magnifique. A moins que les pélerins ne soient venus pour boire l'eau de la fontaine, qui coule encore dans un pré du côté nord de l'église, dont les eaux rendaient la parole aux enfants muets et permettaient aux femmes stériles d'enfanter ? Les graffiti des soldats partant en guerre en 40 montrent en tout cas que la foi en St-Berthaud n'a pas faibli.

This is not a Roman chapel, and St. Berthaud, who is worshipped here, was never canonised. But this has not stopped the crowds from coming, may be because the recumbent figure on his tomb is truly magnificent. Unless the pilgrims came to drink the fountain water, water which still flows in a meadow to the north of the church and which was said to render the power of speech to mute children and to make sterile women fertile. The graffiti of the soldiers who left for the war in 1940 confirm that faith in St. Berthaud has not diminished.

Diese Kapelle ist zwar ebenso wenig romanisch, wie der Heilige Berthaud, der hier verehrt wird jemals kanonisiert worden ist. Doch hat das die Menge nicht gehindert, nach hier zu strömen ; auch die liegende Figur des Heiligen auf dessen Grabmal ist herrlich schön. Oder kamen die Pilger wohl eher, um das Wasser zu trinken, das noch immer aus dem Brunnen inmitten der Wiese, auf dem nördlichen Abhang der Kirche, sprudelt ? Dieses Wasser soll stumme Kinder zum Sprechen und zeugungsunfähigen Frauen Kinder bringen. Jedenfalls zeigen die zahlreichen Inschriften, die Soldaten, bevor sie in den zweiten Weltkrieg zogen, hier hinterlassen haben, daß der Glaube an den heiligen Berthaud nicht nachgelassen hat.

Claus Haverkamp

Des mystiques du Moyen Age ont eu la vision d'un escalier montant tout droit au ciel. Les paysans d'ici ont, à travers les siècles, depierré leurs champs et entassé les pierres sur les côtés, "construisant" ainsi ces larges "MURGERS" qui parcellisent encore aujourd'hui les près et les vignes. Celui-ci, en flanc de colline, n'amène certes pas au ciel, mais l'escalier sur sa faîte mène tout droit vers des petits paradis...

Mystics of the Middle Ages saw in a vision a staircase leading straight to heaven. The local peasants have, through the centuries, dug the stones from their fields and piled them up on the sides, thereby "constructing" these large "MURGERS" which still today divide meadows and vineyards. This one, on the hillside, might not lead you to paradise, but the staircase on the top takes one straight to a seventh heaven...

Viele Mystiker des Mittelalters haben in ihren Visionen eine Treppe, die direkt hinauf in den Himmel führt, gesehen. Über die Jahrhunderte hinweg haben die Bauern dieser Gegend die Steine auf ihren Feldern beiseite getragen und sie dort aufgeschichtet, so daß richtige "Bauwerke" entstanden, die MURGERS genannt werden. Sie unterteilen auch heute noch die Wiesen und Weinberge. Dieser hier, am Hang gelegen, führt zwar nicht in den Himmel ; aber über die Treppe auf seinem First gelangt man sicherlich in kleine Paradiese...

Claus Haverkamp

Tout au fond de la vallée, aux pieds de la Vineuse, village dont le nom seul est tout un programme gouleyant, on rencontre l'église de MASSY et son prieuré, avec quelques dépendances - un ensemble ravissant dans un site enchanteur. Son église a gardé, fait très rare, son crépi d'origine, dans lequel les moines ont gravé, au 11e siècle, les armes de l'abbaye de Cluny, deux clefs croisées (sur le contrefort du clocher côté sud).

Et La Roche Vineuse, hautaine, profilant
Son relief arrêté comme une découpure,
Autour de son clocher sur le ciel s'effilant
Enroule son vignoble ainsi qu'une ceinture.

Derrière, dans le val, on devine Massy ;
Enfin, au dernier plan, près de Cluny, voici
Dans le jour clair aux transparences opalines
La montagne boisée et les hautes collines.

GEORGES DROUX

At the bottom of the valley, at the foot of "La Vineuse", the very name a source of pleasure, can be found the church of MASSY and its priory as well as a few outbuildings, delightful in an enchanting site. The church has kept, which is very rare, its original rough coat of plaster upon which the monks, in the XIth century, engraved the coat of arms of the Abbey of Cluny : two crossed keys (on the southern side of the steeple's buttress).

Unten in Tal, zu Füssen des Ortes La-Vineuse ("voll des Weines"), dessen Name allein schon ein ganzes Programm ist, liegen die Kirche, die Priorei und deren Nebengebäude von MASSY und bilden zusammen einen der lieblichsten Winkel in ganz Burgund. Die Kirche hat, was äußert selten ist, noch ihren ursprünglichen Putz aus dem 11. Jahrhundert. Da hinein haben die Mönche das Wappen der Abtei von Cluny graviert, zwei gekreuzte Schlüssel, (am südlichen Strebepfeiler des Turms).

Claus Haverkamp

« *Nous ne manquerons pas d'expliquer comme nous nous consacrions à Dieu quand nous étions régénérés par le Christ. A ceux qui sont convaincus, qui croient que nous disons et enseignons la vérité et qui s'engagent à vivre en conséquence, nous apprenons à demander à Dieu par la prière et le jeûne le pardon de leurs fautes passées. Ensuite nous les conduisons en un lieu où il y a de l'eau et ils sont régénérés de la même manière que nous l'avons été nous-mêmes* ».

ST-JUSTIN   150

« *We shall not fail to explain how we gave our lives to God when we were re-born through Christ. To those who are convinced, who believe that we say and teach the truth and pledge to live accordingly, we teach to beseech God to pardon past offences through prayer and fasting. Then we take them to a place where there is water and they are re-born exactly as we were ourselves* ».

St JUSTIN 150

« *Wir wollen nicht versäumen, zu erklären, wie wir uns Gott weihten, als wir durch Christus wiedergeboren waren. Diejenigen, die überzeugt sind, die glauben, daß wir die Wahrheit sagen und unterrichten, und die sich bereit erklären, entsprechend zu leben, lehren wir, wie man Gott, durch Gebet und Fasten, um Vergebung seiner vergangenen Fehler bittet. Dann führen wir sie an einen Ort, wo es Wasser gibt, und sie werden wiedergeboren, ganz so wie wir es wurden* ».

St JUSTINUS 150

Claus Haverkamp

Que d'encre a déjà coulé à propos de la signification et des symboles de l'art roman !... Ne vaut-il pas mieux admirer ces œuvres ? Que ce chapiteau sculpté d'une église anonyme de la région soit l'ambassadeur de toutes ces œuvres divines !

« *Dieu a réalisé toutes ces œuvres dans l'amour, dans l'humilité et dans la paix, afin que l'homme appréciât l'amour, recherchât l'humanité, saisît également la paix, pour ne pas sombrer avec celui qui, dès le début, tournait ces vertus en dérision* ».

STE HILDEGARD DE BINGEN 1098 - 1179

So much has been written about the meaning and symbolism of Romanesque art... ! Is it not better to admire these works ? Let this sculpted capital from some ''nameless'' church in the region represent all those divine masterpieces !

« *God has realized all these works with love, humility and peace, so than man would appreciate love, look for benevolence and attain peace, so as not to founder with him, who, from the beginning, held up these virtues to mockery* ».

Ste HILDEGARDE OF BINGEN 1098-1179.

Wieviel Tinte ist nicht schon geflossen zum Thema Bedeutung und Symbolik der romanischen Kunst !... Wäre es nicht besser, diese Werke einfach nur zu bewundern ? Möge dieses Kapitell mit Figurenschmuck, in einer ''anonymen'' Kirche der Gegend, stellvertretend für alle diese göttlichen Werke stehen :

« *Gott hat all diese Werke in der Liebe, in der Demut und im Frieden vollbracht, damit der Mensch die Liebe schätze, die Demut suche und den Frieden erfasse, um nicht mit dem unterzugehen, der, von Anfang an, alle diese Tugenden zum Gespött gemacht hat* ».

HILDEGARD VON BINGEN 1098-1179

Claus Haverkamp

L'église de BLANOT et son élégant clocher dominent l'ancien prieuré et un village aux toits couverts de laves. Une légende locale veut que les abbés de Cluny y envoyaient en pénitence les moines rebelles ou turbulants. S'ils étaient aussi sensibles à la beauté calme et sereine du paysage que l'homme de ce siècle, ils ont dû y retrouver la paix.

The church of BLANOT and its elegant steeple dominate both the ancient priory and a village whose roofs are covered with stone. A local legend tells how the Abbots of Cluny used to send the rebellious or unruly monks to do penance there. If they were as sensitive to the calm and serene beauty of the landscape as are our contemporaries, they must have found peace here.

Die Kirche von BLANOT und ihr eleganter Turm überragen das ehemalige Prioratsgebäude und das Dorf mit seinen steingedeckten Häusern. Einer örtlichen Sage nach sollen die Äbte von Cluny rebellische und aufrührerische Mönche zur Buße nach hier strafversetzt haben. Wenn diese ebenso empfänglich waren für die ruhige und beschauliche Schönheit dieser Gegend, wie die Mesnchen unseres Jahrhunderts, haben sie sicherlich hier den Frieden gefunden.

Raymond Dauvergne

Le village d'AMEUGNY est surtout connu parce qu'il se trouve à un kilomètre de TAIZE, ce "petit printemps de l'église" (Jean XXIII). Mais le tympan de son église nous réserve une petite surprise : on y voit gravé une croix dans un cercle, avec ce petit rebus « L(E)X D(E)I V(E)RA (E)ST » et en dessous « JOHS CAPELLAN TASIACI ATQ AMUNIACI SCPSIT HECQ SEGUIN LAPI-FEX MELEI » « Jean était chapelain de Taizé et d'Ameugny, et Seguin, facteur de pierre de Malay, a écrit ce texte ». Les œuvres signées à cette époque sont très rares. Ce LAPIFEX n'est donc pas un fait lapidaire !

The village of AMEUGNY is mainly known because it is only one kilometre away from TAIZE, this "little spring-time of the church" (John XXIII). But a small surprise awaits us on the tympanum of its church : there is a cross with a circle engraved upon it with this small enigma. "L(E)X D(E)I V(E)RA (E)ST" and underneath JOHS CAPELLAN TASIACI ATQ AMUNIACI SCPSIT HECQ SEGUIN LAPIFEX MELEI". « John was the chaplain of Taizé and Ameugny and Seguin, a stone-cutter from Maley wrote this text ». Signed works from this period are very rare. This LAPIFEX was thus no ordinary lapidary !

Das Dorf AMEUGNY ist vor allem bekannt, da es nur einen Kilometer von TAIZE entfernt liegt, diesem "kleinen Frühling der Kirche" (Johannes XXIII). Doch hat der Türsturz der Kirche eine Überraschung für uns bereit : man findet auf ihm ein eingeritztes Kreuz in einem Kreis und das kleine Bilderrätsel : « L(E)X D(E)I V(E)RA (E)ST », und darunter die Inschrift JOHS CAPELLAN TASIACI ATQ AMU-NIACI SCPSIT HECQ SEGUIN LAPIFEX MELEI « Zur Zeit als Johann Kaplan von Taizé und Ameugny war, hat Seguin "Steinmacher" aus Malay, diesen Text geschrieben ». Signierte Werke sind in der damaligen Zeit äußerst selten. Man sollte also diesen LAPIFEX nicht mit einem lapidären Reflex abtun !

Raymond Dauvergne

L'homme du 20e siècle aime les églises romanes pour leur simplicité et leur sobriété. Mais il oublie que cette image, que la plupart d'entre elles nous donne aujourd'hui, est fausse. A l'origine ces églises étaient de véritables "orgies de couleurs" ; une église n'était considérée comme finie qu'une fois peinte. Et les couleurs vives, voire même criardes, n'épargnaient même pas les sculptures. On sait par exemple que l'immense tympan de Cluny était entièrement peint. Arrêtons donc la folie des grattages, "pour retrouver l'aspect original" !

Our comtemporaries like Romanesque churches for their simplicity and their restraint. But they forget that this image which so many portray today, is false. Originally, these churches were veritable "orgies of colour" ; a church was only considered as complete once painted. The bright or even gaudy colours did not even spare the carvings. We know, for example, that the immense tympanum of Cluny was entirely painted. So, let us put an end to this madness, this desire to scratch below the surface to find again the "original appearance" !

Die Menschen des 20. Jahrhunderts lieben die romanischen Kirchen wegen ihrer Einfachheit und Schlichteit. Doch vergessen sie, daß das Bild, daß die meisten von ihnen uns heute geben, falsch ist. Ursprünglich waren diese Kirchen geradezu eine "Farb-Orgie" ; eine Kirche wurde erst dann als vollendet angesehen, wenn sie ausgemalt war. Und die lebhaften, ja schreienden Farben machten auch nicht vor den Bildhauerarbeiten halt. So wissen wir, daß der gewaltige Türsturz von Cluny vollkommen bemalt war. Hören wir also auf damit, abzukratzen, « um den ursprünglichen Zustand wieder herzustellen » !

Claus Haverkamp

Celui qui sait regarder trouvera un peu partout dans nos villages de ces humbles merveilles de la piété populaire. Et tant pis si les évangiles ne connaissent pas Sainte Anne, la grand'mère de Jésus ! Et que deviendraient les mineurs sans elle qui, parce qu'elle portait en son sein une pierre précieuse, a été élue leur patronne ?

Those who know how to look will find everywhere in our villages some humble marvels of the devotion of common folk. And never mind if the gospels do not recognize Ste Anne, the Grandmother of Jesus. And what would become of the miners without their patron Saint, she who wears a precious stone in her breast ?

Wer zu schauen versteht, wird überall in unseren Dörfern solch bescheidene Meisterwerke der Volksfrömmigkeit entdecken. Und was macht es da schon, daß die Evangelien die heilige Anna, die Großmutter Jesu, gar nicht kennen ! Was sollte auch aus den Bergleuten werden, die sie, da sie einen wertvollen Stein in ihrer Brust trug, zu ihrer Patronin gemacht haben ?

Claus Haverkamp

Le splendide château de BERZE-LE-CHATEL a été un des plus puissants du Maconnais. Il cache, dans ses entrailles, en plus d'un réseau de couloirs, une chapelle carolingienne. C'est là que Madame la Marquise fait sécher ses bulbes de fleurs...

Une légende prétend que le maître des lieux a enfermé, dans un lointain passé, un homme et un bœuf dans un cachot, pour savoir lequel des deux allaient mourir le premier. Il semblerait qu'ils soient morts en même temps. Mais aujourd'hui le parc du château est ouvert aux visiteurs, l'accueil est des plus chaleureux, comme son petit vin blanc un des meilleurs.

The magnificent castle of BERZE LE CHATEL was one of the most powerful in the Mâcon area. In addition to a network of corridors, it hides in its depth a Carolingian chapel ; that is where "Madame la Marquise" uses to dry her flower bulbs...

Legend has it that the master of this place, once locked a man and an ox in a cell to see which would die first ; it seems they both died at the same time. But today, the park of the castle is open to visitors ; its welcome is warm and its wine among the best.

Die gewaltige Burg von BERZE-LE-CHATEL war eine der mächtigsten im ganzen Mâconnais. In ihrem Innern versteckt befindet sich, neben einem ganzen Netz von Gängen, eine Kapelle aus der Karolingerzeit. Dort legt die gnädige Frau Markgräfin ihre Blumenzwiebeln zum Trocknen aus...

Der Sage nach, soll der Herr des Hauses, in lang vergangener Zeit, einmal einen Mann und einen Ochsen zusammen in ein Verließ gesperrt haben, um zu sehen, wer von den beiden als erster stürbe. Doch sollen beide zur gleichen Zeit gestorben sein. Heute steht der Park der Burg dem Publikum offen, der Empfang ist äußerst herzlich - und der Weißwein der Domäne ein wahrer Prachttropfen.

Raymond Dauvergne

Cette pierre tombale est l'œuvre du TAILLEUR DE PIERRE DE ST-POINT, qui est en même temps le titre d'un merveilleux petit roman de l'enfant du pays, Alphonse de LAMARTINE, qui publia ce "récit villageois" en 1851 :

Ce qu'il y a de plus beau dans la beauté des formes comme dans la beauté morale des caractères, comme dans la beauté matérielle de la création, c'est ce qu'il y a de plus voilé. Les mystères du corps, du cœur ou de la nature sont les ravissements de l'intelligence, de l'âme ou des yeux. Il semble que Dieu ait jeté une ombre sur ce qu'il y a fait de plus délicat ou de plus divin pour en provoquer le désir par le secret et pour en modérer l'éclat de nos regards, comme il a mis des cils sur nos yeux pour y tempérer l'impression de la lumière, comme il a mis la nuit sur les étoiles pour nous provoquer à les poursuivre de l'œil dans leur océan aérien, à mesurer sa puissance et sa grandeur à ces clous de feu que ses doigts, en touchant la voûte du ciel, ont laissés pour empreinte sur le firmament. Les vallées sont les mystères des paysages. On les pénètre d'autant plus qu'elles cherchent davantage à se recourber, à s'ensevelir, à s'abriter. Telle est l'impression de la vallée de Saint-Point à chaque pas de plus que le voyageur fait pour la découvrir. Plus on la découvre plus elle s'enfuit.

This tombstone is the work of the "TAILLEUR DE PIERRE DE ST POINT" (the stone-cutter of St Point), which is also the title of a delightful small novel by Alphonse de LAMARTINE, who was born in this area and has published this village tale in 1851.

Dieser Grabstein ist das Werk des Steinmetzen von St-Point ; und "LE TAILLEUR DE PIERRE DE SAINT POINT" ist auch der Titel eines wunderschönen kleinen Romans des Sohns dieser Gegend, Alphonse de LAMARTINE, der diese "Geschichte vom Lande" 1851 veröffentlichte.

Claus Haverkamp

Ce lieu, toujours isolé, reçut pourtant au début du 12e siècle la visite d'un légat du pape et de nombreux prélats de France et d'Angleterre, venus pour un concil régional.

Aujourd'hui MAZILLE est plus connu pour son Carmel, installé dans des bâtiments modernes depuis 1971. Mais on devrait aussi aller voir, au village même, l'imposant bâtiment de l'ancien prieuré et, dans la minuscule chapelle, sans caractère, la Nativité, peinture modeste mais si lumineuse de Michel BOUILLOT.

This place is isolated today, but once, at the beginning of the XII century, it was host to the Papal Legate and to numerous prelates of France and England who came here for a regional council.

Today, MAZILLE is better known for its Carmelite monastery, housed in modern buildings since 1971. But one should also see, in the village itself, the imposing building of the ancient priory as in the tiny chapel (which is otherwise of little interest), the modest, albeit luminous painting of the Nativity by Michel BOUILLOT.

Dieses heute so einsam gelegene Kirchlein hat, Anfang des 12. Jahrhunderts, den Besuch eines Gesandten des Papstes und zahlreicher Prälaten aus Frankreich und England erlebt, die hier zu einem regionalen Konzil zusammentrafen.

Heute ist MAZILLE wegen seines, 1971 in einem modernen Gebäude angesiedelten, Karmeliterinnen-Klosters bekannt. Doch sollte man auch einen Abstecher ins Dorf selber machen, um dort das beeindruckende Gebäude des ehemaligen Priorats und, in der kleinen unscheinbaren Kapelle, das Gemälde der Geburt Christi, ein zwar bescheidenes doch so strahlendes Werk von Michel BOUILLOT, zu bewundern.

Raymond Dauvergne

On a souvent écrit que les églises romanes de Bourgogne se distinguaient par leur obscurité. Quelle idée obscure ! N'est-ce pas justement dans les ténèbres que nos âmes s'élèvent vers la lumière ?

It has often been written that the Romanesque churches of Burgundy are full of darkness. What a sombre thought ! But is it not from the shadows that our souls rise towards the light ?

Es wurde oft geschrieben, daß sich die romanischen Kirchen von Burgund durch ihren Lichtmangel auszeichnen. Welch obskure Idee ! Ist es nicht gerade aus der Dunkeßlheit, daß unsere Seelen sich zum Licht erheben ?

Jean-Pierre Large

Un peu partout on rencontre des demeures qui ont connu leur heure de gloire et de grandeur, mais qui s'éteignent inexorablement, comme leurs anciens maîtres - en attendant, sans trop y croire, une nouvelle Renaissance.

Everywhere, dwellings can be found which lived their hour of glory but flickered out like their masters and await, only half believing, a Renaissance.

Immer wieder stößt man auf Gebäude, die zwar ihre Stunde des Ruhmes und der Größe erlebt haben, die aber, wie ihre ehemaligen Herren, unerbittlich erlöschen - und, ohne so recht selber daran zu glauben, auf eine Renaissance hoffen.

Claus Haverkamp

Routes construites par l'envahisseur, routes civilisatrices, routes de pélerinages, entretenues pendant des siècles... que serait la Bourgogne sans ses innombrables ROUTES ROMAINES ?
Autrefois voies majeures, dont aujourd'hui seules les cartes d'état major se souviennent.

Roads built by the invader, civilizing roads, pilgrims' roads, maintained for centuries... What would Burgundy be without its innumerable ROMAN ROADS ?

Once high-ways of law and order, they are today only remembered on ordnance survey maps.

Von den Eroberern erbaute Straßen, Straßen, über die die Zivilisation kam, Pilgerstraßen, jahrhundertelang unterhalten... was wäre Burgund ohne seine RÖMERSTRASSEN ?
Ehedem wahre Stabs-Straßen, erinnern sich heute nur noch die Generalstabskarten an sie.

Raymond Dauvergne

Ancien ermitage, où Pierre le Vénérable aimait se reposer, puis léproserie des moines de Cluny, où les malades étaient certes à l'écart, mais tout en voyant au fond de la vallée les clochers de leur abbaye, la petite église de COTTE reste encore de nos jours bien à l'écart, même si le TGV passe à moins de 100 mètres.
Fait exceptionnel, sa façade garde des traces de peinture ornementales.

The small church of COTTE is an ancient hermitage where Peter the Venerable liked to rest. It was then a leprosarium for the monks of Cluny ; even if the patients were kept aside, they could still see the steeple of their Abbey at the end of the valley. Today, it is forgotten, even if the TGV (High Speed .Train) rushes by less than a hundred metres away.

An extraordinary thing : the facade still shows of ornamental paintings.

Ehemals Einsiedelei, in der Petrus Venerabilis sich gerne erholte, dann Lepra-Station der Mönche von Cluny, die hier zwar abgesondert lebten, aber am Ende des Tales die Türme ihrer Abtei erblickten, ist die kleine Kirche von COTTE auch heute noch einsam und verlassen, und das obwohl der TGV nicht einmal 100 Meter weit vorbeirast. Auf der Fassade befinden sich noch, was ausgesprochen selten ist, Reste von Malereien.

Raymond Dauvergne

Quand enfin le soleil se couche, après une longue journée consacrée à la découverte de la région, quand on commence à confondre églises, villages et châteaux, il y a comme un appel, venant de derrière cette croix de chemin, qu'on ne distingue déjà plus, d'aller encore plus loin, au delà du Clunisois, vers d'autres hauts lieux de l'art roman. Heureusement que le soleil couchant nous annonce aussi des lendemains...

When, at the end of a long day spent discovering the region, the sun finally sets, when we start mistaking churches for villages and villages for castles, coming from behind a cross which can only just be seen, a call spurs us onwards, on beyond Cluny, towards other centres of Romanesque art. Happy we are that the setting sun also announces days to come...

Wenn endlich die Sonne untergeht, nach einem langen Tag, der der Entdeckung dieser Gegen gewidmet war, wenn man anfängt, Kirchen, Dörfer und Burgen zu verwechseln, erhallt aus der Ferne wie ein Ruf, weit über das Wegekreuz hinaus, das man kaum noch erkennen kann, noch weiter zu gehen, zu anderen berühmten Stätten der Romanik, jenseits des Clunisois. Wie gut, daß die untergehende Sonne auch neu heraufziehende Morgen verspricht !

Claus Haverkamp

Aux confins du Charolais et du Morvan, l'abbaye de PERRECY-LES-FORGES réserve au visiteur deux surprises : un magnifique tympan sculpté du 12e siècle, mais aussi sa nef et son bras gauche du transept. On a l'impression d'être dans une église ottonienne, de se retrouver en Rhénanie. Oui, la Bourgogne est vraiment une terre ouverte à tout et à tous !

At the limits of the Charolais and Morvan, two surprises await the visitor at the Abbey of PERRECY LES FORGES, a magnificent carved tympanum from the XII century, and a nave with its left transept arm. It is as if we were in an Ottanian church, back in the Rhineland. Yes, Burgundy really is a land open to all and one and all !

Die Abteikirche in PERRECY-LES-FORGES, an der Grenze zwischen dem Charolais und dem Morvan gelegen, erwartet den Besucher mit zwei Überraschungen : einem wunderschönen Türsturz mit Skulpturenschmuck aus dem 12. Jahrhundert, aber auch ihr Schiff und dessen linkes Querschiff. Man meint, in einer ottonischen Kirche zu sein, fühlt sich mitten ins Rheinland versetzt. Ja Burgund ist wirklich allen und allem offen !

Claus Haverkamp

AUTUN, "Sœur et émule de Rome" avec ses portes et théâtres romains, avec sa cathédrale St Lazare, où s'est épanoui l'immense talent de GISLEBERTUS, avec ses rues et ses maisons qui respirent tant de grandeur, comment résister à tant de tentations ?

A L'EVE D'AUTUN

Ecoute, toi si jeune et si belle, mon Eve,
Tu sais bien que mon cœur est tout proche de toi.
Tu as déjà compris que l'existence est brève,
Et c'est pourquoi ton geste traduit tant d'émoi.

Adam, tout comme toi, avait soif de connaître
Les secrets, les oiseaux, les joies du paradis.
Mais il voulait aussi, à tes yeux, apparaître
Plus fort qu'un simple humain, et il en fut maudit.

Eve, ma sœur si belle et parfois douloureuse,
Apprends-moi, par-delà les siècles écoulés,
A goûter de la vie la pulpe savoureuse,
Sans craindre le chagrin qui doit nous modeler.

Alberte-Jean MARTELET

AUTUN, "Sister and rival of Rome" with its roman gateways and theatres, the St Lazare cathedral where the immense talent of GISLEBERTUS flowered. With its streets and houses radiating grandeur, how can one resist such temptations ?

AUTUN, « Schwester und Rivalin Roms », mit ihren römischen Pforten und Theatern, mit ihrer St Lazarus-Kathedrale, wo sich das ungeheure Talent des GISLEBERTUS voll entfaltete, mit ihren Sraßen und Häusern, die vergangene Größe atmen, wer könnte so vielen Versuchungen widerstehen ?

Claus Haverkamp

Le BRIONNAIS, cette "autre terre romane" de la Bourgogne du Sud, mériterait à lui seul tout un livre. St Hugues, de la puissante famille de Semur, était originaire d'ici.

ANZY-LE-DUC, dont les solutions de voûtement ont servi de modèle à Vézelay, et l'ange du tympan de SAINT-JULIEN-DE-JONZY, exemple de l'ultime apogée de l'art roman, ne peuvent qu'inciter le touriste à aller voir toutes ces merveilles.

BRIONNAIS, this "other Romanesque land" of Southern Burgundy deserves a whole book to itself. St Hugh, from the powerful Semur family came from here.

The vaulting techniques of ANZY-LE-DUC served as a model for Vezelay and the angel of the tympanum of SAINT-JULIEN-DE-JONZY is an example of the apogee of Romanesque art. All these marvels should be seen by the tourist. tourist.

Das BRIONNAIS, dieses "andere Land der Romanik" in Südburgund, hätte alleine schon ein ganzes Buch verdient. Der heilige Hugo, aus der mächtigen Familie von Semur, war von hier gebürtig.

ANZY-LE-DUC, dessen Gewölbeprinzipien als Modell für Vézelay gedient haben, und der Engel am Türsturz von SAINT-JULIEN-DE-JONZY, einem Zeugnis der letzten Blüte der Romanik, können nichts anderes tun, als den Touristen zu veranlassen, diese Wunder-Werke aufzusuchen.

Claus Haverkamp

AU COEUR DE L'ART ROMAN

BIBLIOGRAPHIE SOMMAIRE :

BUSSMAN Klaus "Burgund" Köln 1984

VAUCHEZ, André "La Spiritualité du Moyen Age Occidental" Paris 1975

JEANTON, Gabriel "Le Mâconnais Traditionaliste et Populaire" MACON 1920*, 1921**, 1922***, 1923****

GRIVOT, Denis "La Légende Dorée d'Autun" LYON 1974

DICKSON, Marcel et Christiane "Les Eglises Romanes de l'Ancien Diocèse de Chalon" MACON 1935

VIREY, Jean "Les Eglises Romanes de l'Ancien Diocèse de Mâcon" MACON 1936

LOCKYEAR, Harold "Roundabout" LONDON 1970

HARTMANN, Hans "Guillaume des Autels - ein französischer Dichter und Humanist" ZURICH 1907

YOUNG, Margaret L.M. "Guillaume des Autelz - A Study of his Life and Work" GENEVE 1961

OURSEL, Raymond "Univers Roman" Fribourg 1966

OURSEL, Raymond "Bourgogne Romane" PARIS 1978

OURSEL, Charles "L'Art de Bourgogne" PARIS 1953

LEX, L. "Le Culte des Eaux dans le Département de Saône et Loire" MACON 1898

COLINON, Maurice "Guide des Monastères" PARIS 1983

DE CHAMPEAUX, Gérard/STERCKS, Sébastien "Introduction au Monde des Symboles", PARIS 1981

GORCEIX, Bernard "Le Livre des Oeuvres Divines - Hildegarde de Bingen" PARIS 1982

de FOUDRAS marquis "Pauvre Défunt, M. le Curé de Chapaize" PARIS 1946

BAUR, Albert "Maurice Scève et la Renaissance Lyonnaise" PARIS 1906

WALSH, John E. "Le Tombeau de Saint Pierre" PARIS 1984

FOREST, Alfred "Cluny-Guide et ses Environs" CLUNY s.d.

MAGNIEN, Emile "Les Eglises Romanes de la Bourgogne du Sud" TOURNUS s.d.

RUSET, Danielle "L'Eglise de Chapaize" TOURNUS 1983

MAGNIEN, Emile "Tournus - Guide historique et touristique" MACON 1964

SCHUTTE, Heinz "Ziel : Kirchengemeinschaft" PADERBORN 1985

BORTAUD, Jean "Abbaye Saint-Philibert Tournus" TOURNUS 1970

CHRISTE, Yves "Cluny et le Clunisois" GENEVE 1967

VIREY, Jean "L'Abbaye de Cluny" PARIS 1953

MATERN, Erich "Die Bourgogne in den Liedern ihrer Dichter" KONIGSBERG 1928

TREMEAU, Bernard "Taizé/Cormatin" CHALON s/S 1980

MARTELLET, Alberte-Jean "Cher Morvan" GRASSE 1964

OURSEL, Raymond "Trésors de Saône-et-Loire" PARIS 1975

DUBY, Georges "Le Moyen Age - Adolescence de la Chrétienté Occidentale" GENEVE 1984

PENJON, A. Cluny - la Ville et l'Abbaye" CLUNY 1872

LAMARTINE, Alphonse de "Le Tailleur de Pierres de Saint-Point" MACON 1975

BIDEAU, Danièle "CLUNY Phare de l'Occident / Saône-et-Loire Mystérieuse" LYON 1981

TALBOT, Hugh "The Life of the Spirit" BLACKFRIARS 1945

HAENSLER, Alphonse "Curé de Campagne" PARIS 1978

POUPON, Pierre "Toute la Bourgogne" PARIS 1970

LUTZELER, Heinrich "Europäische Baukunst im Überblick - Architektur und Gesellschaft" FREIBURG 1969

L'HUILLIER, A. "Vie de Saint Hugues Abbé de Cluny" SOLESMES 1888

NEWMAN, John-Henry "Le Message de St Benoît" in "L'Europe des Monastères" PARIS 1985

F.L.B. "Cluny dccccx mdccccx" MACON 1910

OURSEL, Raymond "Evocation de la Chrétienté Romane" PARIS 1968

CONANT, Kenneth John "Cluny - Les Eglises et la Maison du Chef d'Ordre" MACON 1968

- "Département de Saône-et-Loire" N° 14 de "La Revue Géographique et Industrielle de France" PARIS 1965

- "L'Eglise Romane de Perrecy-les-Forges" ST LEGER 1980

- "Histoire et Monuments" Archives Départementales Saône-et-Loire "Canton de Mont-Saint-Vincent" / "Canton de La Guiche"

- "Images de Saône-et-Loire" Revue édité par le GROUPE 71

- "Chansons der Troubadours und Trouvères" HAMBURG 1981

"Ne sont indiqués ici que les titres des ouvrages qui ont effectivement servi à la rédaction de ce livre".

Achevé d'imprimer en Août 1988
sur les presses de l'Imprimerie Hautbois-Doré
ZAC Le Pas du Bois - LE CHATEAU D'OLONNE - B.P. 1838
85118 LES SABLES D'OLONNE CEDEX

Dépôt légal N° 742 - 2e semestre 88